ALFABETIZAÇÃO
O quê,
por quê
e como

CIP-BRASIL. CATALOGAÇÃO NA PUBLICAÇÃO
SINDICATO NACIONAL DOS EDITORES DE LIVROS, RJ

C656a

Colello, Silvia M. Gasparian
Alfabetização : o quê, por quê e como / Silvia M. Gasparian Colello. - 1. ed. -São Paulo : Summus, 2021.
216 p. ; 21 cm.

Apêndice
Inclui bibliografia
ISBN 978-65-5549-022-0

Alfabetização. 2. Letramento. 3. Prática de ensino. I. Título.

21-68791 CDD: 372.416
CDU: 37.091.33:028.1

Leandra Felix da Cruz Candido - Bibliotecária - CRB-7/6135

20/01/2021 21/01/2021

www.summus.com.br

ALFABETIZAÇÃO
O quê, por quê e como

Silvia M. Gasparian Colello

ALFABETIZAÇÃO
O quê, por quê e como

Editora executiva: **Soraia Bini Cury**
Assistente editorial: **Michelle Campos**
Projeto gráfico: **Crayon Editorial**
Diagramação: **Spress Diagramação & Design**
Capa: **Alberto Mateus**

Summus Editorial
Departamento editorial
Rua Itapicuru, 613 – 7º andar
05006-000 – São Paulo – SP
Fone: (11) 3872-3322
Fax: (11) 3872-7476
http://www.summus.com.br
e-mail: summus@summus.com.br

Atendimento ao consumidor
Summus Editorial
Fone: (11) 3865-9890

Vendas por atacado
Fone: (11) 3873-8638
Fax: (11) 3872-7476
e-mail: vendas@summus.com.br

Impresso no Brasil

Considerando a minha trajetória, dedico este livro

àqueles de onde eu vim: Rubens e Maria Teresa;
a quem, todos os dias, dá sentido ao meu dia: Clodoaldo;
àqueles por quem eu vivo: Cassio e Vivian;
e à causa da educação, sempre!

Sumário

Introdução – Para um tema complexo, uma abordagem multifacetada

O tema da alfabetização é sempre oportuno e, hoje, mais do que necessário. Em um momento político no qual as diretrizes oficiais apontam para o método fônico como caminho para a aquisição proficiente da língua, estamos, todos nós – educadores, professores, especialistas de áreas afins, estudantes, pesquisadores e comunidade –, convocados a enfrentar os problemas do analfabetismo e do baixo letramento no país pela compreensão ampla desse desafio e pela revisão de posturas pedagógicas. Obviamente, não se trata de criticar os adeptos do referido método por simples oposição ideológica, mas de colocar em evidência, no plano político-pedagógico, o sentido educativo da alfabetização e as concepções de língua e de aprendizagem, assim como as diretrizes que subsidiam a formação de sujeitos efetivamente leitores e produtores de texto.

Em face dos aportes das ciências linguísticas, da psicologia, da sociologia e da própria educação sobre o assunto, fica evidente que, enquanto não mudarem as concepções relacionadas com o ensino da língua, estaremos ensinando a ler e escrever apenas para que os sujeitos dominem o sistema e as regras da língua escrita; estaremos perpetuando práticas pedagógicas distantes da realidade de nossos alunos e dos apelos da sociedade moderna. Perseguindo metas mais amplas, é possível defender que a (re)consideração de princípios, objetivos, diretrizes e práticas pedagógicas passa, necessariamente, pelo balanço de estudos que, por diferentes lentes e com diferentes ênfases, vêm transformando a pedagogia da língua escrita.

No Brasil, os questionamentos acerca do ensino da língua escrita têm o seu primeiro grande marco na década de 1960, com a pedagogia crítica de Paulo Freire (1921-1997). Tendo alfabetizado cerca de 300 adultos no Rio Grande do Norte em apenas 45 dias (experiência que ficou conhecida como "As 40 horas de Angicos"), o educador chamou a atenção para a natureza política desse processo e denunciou as práticas alienantes do ensino. Pela primeira vez na história da educação brasileira, a leitura superou a dimensão técnica do sistema para se assumir na relação do sujeito com seu mundo.

A didática que se vale do diálogo e do processo de conscientização do aluno é fortalecida no país com a chegada das ciências linguísticas nos anos 1980, que defendem o respeito ao sujeito falante e a legitimidade das diferentes manifestações linguísticas no seu contexto social. Por essa via, torna-se possível combater as práticas autoritárias e discriminatórias que, centradas no modelo da norma culta como a única possibilidade legítima de manifestação linguística, acabava por silenciar a grande maioria da população – não raro, gerando também o fracasso escolar.

Nessa mesma década, os estudos liderados por Emília Ferreiro (1937-) e a tradução dos trabalhos coordenados por Lev Vigotski[1] (1896-1934) enfatizam, com suas respectivas abordagens, as relações entre aprendizagem, processos cognitivos na construção da escrita e práticas sociais. A partir daí, fica evidente o abismo entre a alfabetização tipicamente escolar e a alfabetização necessária para a vida cidadã.

Ao desvendar os mecanismos de elaboração mental que sustentam a construção da língua escrita, Ferreiro e Teberosky (1984) abrem novas perspectivas para a alfabetização, chamando a atenção para a necessidade de se conciliar os processos de ensino aos de aprendizagem e, ao mesmo tempo, colocam em xeque as práticas mecanicistas que costumam se reduzir ao treinamento de habilidades perceptuais e motoras ou a exercícios de codificação e decodificação. Em oposição a essas práticas, proclamam a aprendizagem da língua como um processo construtivo, no qual o sujeito, partindo de suas concepções prévias, é constantemente convidado a (re)construir hipóteses com base em práticas contextualizadas e significativas (verdadeiras provocações para a elaboração mental!).

Na mesma linha de crítica ao sistema de ensino, Vigotski e seus colaboradores (Vygotsky, 1987, 1988; Vigotskii, Luria e Leontiev, 1988) partem da certeza de que o ensino das letras deve se submeter ao ensino da língua. Como as relações do sujeito com o mundo são decisivas nesse processo de aprendizagem, o ensino, superando o conhecimento estrito do sistema linguís-

[1] Dada a diversidade de formas de grafar o nome de Vigotski (Vigotsky, Vygotski, Vygotsky, Vigotskii ou Vigotski), adotaremos a forma Vigotski quando esse autor for mencionado sem que haja citação bibliográfica. Quando houver, grafaremos conforme as editoras brasileiras de suas obras.

tico, deve incidir sobre o reposicionamento do sujeito aprendiz em face do outro, dos modos de comunicação e das práticas sociais da escrita.

Calcado no mesmo referencial histórico-cultural, Mikhail Bakhtin (1895--1975), compatriota e contemporâneo de Vigotski, rechaça as concepções monológicas centradas na língua em si ou no autor do texto e chama a atenção para a natureza essencialmente dialógica da língua. Marcada pelas relações interdiscursivas e intertextuais, a produção linguística se faz necessariamente como uma ponte entre sujeitos que se integram desde o início da produção linguística em determinado contexto e com determinado propósito. Essa concepção fundamenta uma didática do ensino da língua centrada nas ações com a linguagem e sobre a linguagem – isto é, a sala de aula como espaço de interlocução, de produção, de exploração e de negociação de sentidos, de busca das melhores formas de dizer e das muitas estratégias para compreender e interpretar.

A partir da última década do século XX, em função dos apelos da nossa sociedade, das transformações no mercado de trabalho e da abertura política no Brasil, os estudos sobre o letramento empreendidos por diversos autores, mas especialmente por Magda Soares (1932-), ganharam força, mostrando que a aprendizagem da língua escrita, em uma perspectiva mais ampla, remete a uma verdadeira transformação do estado e da condição do sujeito ou de um grupo social, uma nova forma de ser e de lidar com a realidade. Mais do que a aquisição de uma tecnologia, a alfabetização, na sua conotação mais ampla, diz respeito à constituição do sujeito, do cidadão e da sociedade democrática.

A despeito de suas diferenças (e até divergências) epistemológicas, essas contribuições, ampliadas por tantos outros pesquisadores, não podem ser desconsideradas no cenário complexo da sala de aula e das políticas educacionais; mais do que nunca, as intrincadas relações entre teoria e prática devem subsidiar a construção de um ensino de qualidade. Assim, vale reconhecer a pedagogia da alfabetização no contexto de uma verdadeira revolução conceitual que, a partir de "novos" e diversos referenciais, engrossaram os debates educacionais, dialogando, ainda, com outros temas emergentes no cenário pedagógico: o ideal de formação integral do sujeito, a educação em valores, o protagonismo do aluno nas metodologias ativas, as práticas interativas e cooperativas, os desafios das metodologias assentadas na resolução de problemas, o ensino voltado para a formação de competências, a valorização da interdisciplinaridade e da transversalidade, a necessária assimilação das tecnologias no processo educacional, a pertinência dos projetos de trabalho como prática de ensino, a progressão continuada e a organização da escola por ciclos, assim como a implantação do ensino fundamental em nove anos.

Ao situar a alfabetização como um objeto que merece ser considerado por diferentes óticas, este trabalho pretende contribuir para os debates acerca do ensino da língua escrita, apontando para possíveis articulações entre o que se ensina quando se ensina a ler e escrever, por que se ensina a ler e escrever e como se ensina (ou deveria se ensinar) a ler e escrever. Na dialética constituída pelas relações entre teorias e práticas, princípios e diretrizes, fica o desafio de compreender bem para melhor ensinar (Colello, 2017b). Nessa direção, a presente obra reúne textos que, mesmo constituídos de modo autônomo, "dialogam" recursivamente entre si com base nos seguintes tópicos de abordagem que perpassam todo o trabalho:

- Significados, propósitos e metas da alfabetização.
- A língua escrita no contexto da alteridade.
- Concepções de língua e de língua escrita.
- A língua em uma perspectiva discursiva e dialógica.
- Letramento, cultura escrita e ensino.
- Concepção do sujeito-aprendiz e relações na escola.
- Concepções de conhecimento.
- Desafios do ensino da língua escrita na sociedade contemporânea.
- A escrita no contexto das novas tecnologias.
- O papel do professor no ensino da língua.
- A construção do conhecimento.
- Processos cognitivos na construção da língua escrita.
- Diferenças sociais e a construção do conhecimento.
- Produção textual e leitura como resolução de problemas.
- Leitura e literatura.
- Diretrizes pedagógicas, frentes de ensino e práticas de alfabetização.
- A compreensão das crianças sobre o papel da língua escrita e a relação com essa aprendizagem.
- Vícios das práticas de ensino e condicionantes do fracasso escolar.
- Analfabetismo e baixo letramento.
- Perspectivas de transformação da escola e do ensino da língua escrita.
- Assimilação de referenciais teóricos e caminhos para a formação docente.

Considerando as relações possíveis entre os referidos conteúdos e suas implicações pedagógicas, justifica-se o interesse de "possíveis costuras", isto é, a busca de complementaridade entre capítulos – sejam elas sugeridas pelos próprios temas, sejam tecidas a critério do leitor. Isso porque, dada a complexidade do ensino e aprendizagem da língua escrita, o risco está em se tomar a parte pelo todo, contentando-se com algumas ideias básicas em detrimento de tantas outras, ou abrigando-se nos "guetos" de determinadas correntes teóricas, desconsiderando a contribuição de diversas lentes, olhares e pontos de vista. De fato, quando se considera o tema da alfabetização, não se trata de ver cada tijolo, mas de vislumbrar a "catedral" que, hoje, representa o conjunto de nossos desafios e metas.

Na primeira parte do trabalho, partimos de uma reflexão sobre o potencial transformador da língua escrita (Capítulo 1), o que se justifica nos seis capítulos seguintes, os quais enfocam, respectivamente, as principais contribuições teóricas sobre o tema da alfabetização. Fechamos essa parte com o oitavo capítulo, que sintetiza a complexidade da língua escrita e suas implicações para o trabalho em sala de aula.

A segunda parte da obra concentra-se nos mecanismos de ensino e aprendizagem, procurando radiografar aspectos mais específicos da construção cognitiva (Capítulos 9, 10 e 11) para, finalmente, situar a engrenagem da alfabetização na sala de aula: princípios educativos, diretrizes pedagógicas, paradoxos do ensino, modalidades didáticas, eixos de intervenção e atividades práticas (Capítulo 12).

A problematização dos mecanismos do não aprender é o objeto da terceira parte do trabalho, desenvolvido tanto com base em uma resenha sobre o que se tem dito, no país, sobre as dificuldades da alfabetização (Capítulo 13), como na perspectiva dos próprios estudantes vítimas dessas mesmas dificuldades (Capítulo 14). Acreditando que o trabalho dos professores é um dos caminhos para a superação de tantos problemas, o Capítulo 15 fecha esse debate, apontando para novas perspectivas de formação docente.

No conjunto da obra, trata-se de uma abordagem multifacetada que busca, por diferentes vias, reconstituir o mosaico da alfabetização como objeto de estudo, de reflexão e de trabalho pedagógico. Por isso, ao longo do trabalho, valemo-nos tanto de abordagens explicativas sobre diversos autores e linhas de contribuição teórica, como da análise dos temas por meio de pesquisas, vivências, estudos de caso e exemplos.

No sentido de apoiar (e, certamente, de incentivar) o leitor que se inicia ou se aprofunda no tema, procuramos também fazer um levantamento bibliográfico (um proposital e meticuloso esforço de indicar as fontes e obras relacionadas), que favorece a expansão dos estudos; cada capítulo remete a muitas outras obras e textos que, em conjunto, apontam para a amplitude desse grande mosaico que é a alfabetização. Por fim, seguindo o mesmo propósito, anexamos um elenco de produções eletrônicas que, dando continuidade à interlocução aqui proposta, pode complementar a leitura de cada capítulo.

Fica aqui o convite para um diálogo que, certamente, aqui não se encerra.

Silvia M. Gasparian Colello

PARTE I

Alfabetização: teoria e prática

Talvez, ensinar a língua escrita também signifique ensinar que a vida não está pronta, não está acabada e que sempre há um horizonte para aquilo que virá.
(Geraldi, 2009, p. 227)

1. Por que a aquisição da língua escrita é transformadora?[2]

INTRODUÇÃO: UMA PERGUNTA QUE GERA PERGUNTAS

No campo educacional, afirmar que a aquisição da língua é transformadora parece uma obviedade. A rigor, professores, pais, estudantes e até mesmo os discursos do senso comum compartilham a certeza de que a alfabetização é um saber necessário: se não fosse pelo vexame de ter mais de 12 milhões de analfabetos no país (7,2% da população) e um imenso contingente de analfabetos funcionais (cerca de um terço dos brasileiros)[3], seria pelo consenso de que as novas gerações não podem perpetuar os históricos problemas sociais de marginalização e desigualdade. Afinal, como vivemos em uma sociedade letrada, como as tecnologias da comunicação pressupõem um trânsito no universo linguístico, como a sobrevivência digna depende da inserção produtiva das pessoas no mercado de trabalho, o ensino da língua escrita parece uma obrigação primeira da escola, constituindo-se, simultaneamente, como meta (o objetivo de aprender a ler e escrever) e meio (o objetivo de aprender a ler e escrever para que, simultânea e posteriormente, se possa aprender outros conteúdos previstos pelos sistemas de ensino ou imprevisíveis no curso da vida).

No entanto, mesmo ao admitir certezas e obviedades, somos conduzidos a um campo nebuloso justamente pela confusão (ou dispersão) de argumentos sobre o impacto da alfabetização na formação humana e na constituição da sociedade. Sob a lente de um olhar mais apurado, a necessidade de se conhecer o sistema de escrita já nos anos iniciais da escolaridade tende a ficar diluída por lemas políticos e pedagógicos que circulam tanto nos documentos

---

2. Palestra proferida na Rede Alix em 10/11/2018. Artigo publicado na *Revista Internacional d'Humanitats*, n. 47, jan.-abr. 2020, p. 121-130. Disponível em: <http://www.hottopos.com/rih48/121-130Silvia.pdf>. Acesso em: 2 abr. 2020.

3. Dados IBGE/Inep/Pnad, 2018. Disponível em: <https://www.ibge.gov.br/estatisticas-novoportal/sociais/habitacao/17270-pnad-continua.html>. Acesso em: 6 mar. 2019.

oficiais como nas diretrizes didático-metodológicas, sem que haja propriamente um consenso sobre "por quê", o "que" e "como" ensinar a língua escrita. Na sombra de belas palavras (alfabetização para a "libertação", para a "autonomia", para a formação do "senso crítico", para a "convivência na sociedade letrada", para a constituição do "cidadão" e para a formação da sociedade "democrática"), os discursos circulantes escondem uma diversidade de concepções de língua, de objetivos de aprendizagem, de posturas sobre o processo cognitivo e, finalmente, de projetos de ensino.

Nesse cenário, renova-se o interesse em responder à pergunta original ("por que a aquisição da língua escrita é transformadora?") com muitas outras perguntas: quais são os objetivos do ensino da língua escrita? Em função desses objetivos, qual é o significado da alfabetização no projeto educativo? Em função desse significado, como se explica o impacto transformador da aquisição da língua escrita e qual é o seu alcance?

Justifica-se aí o interesse em problematizar aspectos (nem sempre) tão óbvios.

AS METAS DA ALFABETIZAÇÃO

Desde o final do século XVIII, a alfabetização e o letramento carregam dois sentidos paralelos: de um lado, a vertente dominadora, nascida das críticas à "leituromania", isto é, o movimento que procurava alertar sobre os perigos da leitura em excesso (consideradas particularmente prejudiciais na formação de valores ou de comportamentos femininos); de outro, o pensamento iluminista, que valorizava a leitura pela possibilidade de difusão do saber e de emancipação intelectual (Zilberman, 2009).

A partir de meados do século XX, essas mesmas tendências são retomadas à luz de uma nova configuração de mundo. Em face dos apelos econômicos (participação no mercado competitivo de trabalho), sociais (crescente urbanização e convivência em contextos de cultura escrita), tecnológicos (uso do aparato cada vez mais sofisticado de comunicação) e geopolíticos (a globalização sustentada pelo sistema capitalista e pela formação do amplo mercado de consumidores) de nosso mundo, as metas de alfabetização superam a histórica exigência de escrever o próprio nome e passam a ser defendidas pela Organização Mundial do Comércio (OMC) e pelo Fundo Monetário Internacional (FMI) como instrumentos para a vida e para o trabalho. Sem desmerecer a necessária dimensão funcional da língua escrita, diversos autores (Britto, 2007; Colello, 2015, 2017a; Colello e Lucas, 2017; Freire, 1983; Frigo e Colello, 2018; Geraldi, 1993; Mariani, 2002; Yunes, 2002; Zaccur, 1999; Zilberman, 2009) chamam a atenção para a vertente ideológica que subsidia essa concepção dominante: a alfabetização para a qualificação do trabalhador, o aumento da produtividade e a sustentação do mercado consumidor.

Em contraposição ao princípio de alfabetizar para instrumentalizar o trabalhador e para adaptá-lo ao sistema, o Fórum Mundial de Educação rechaça a ideia do ensino como mercadoria para defender a alfabetização como um direito de todos, como uma estratégia para diminuir as diferenças sociais rumo à construção da paz e de uma sociedade mais justa. Entre muitos educadores e pesquisadores que defendem essa postura (por exemplo, os autores acima mencionados), destaca-se o "ideal linguístico de um mundo polifônico" postulado por Bakhtin:

> Vivendo em um mundo pesadamente monológico, Bakhtin [...] se pôs a sonhar também com a possibilidade de um mundo polifônico, de um mundo radicalmente democrático, pluralista, de vozes equipolentes, em que, dizendo de modo simples, nenhum ser humano é reificado; nenhuma consciência é convertida em objeto de outra; nenhuma voz social se impõe com a última e definitiva palavra. Um mundo em que qualquer gesto centrípeto será logo corroído pelas forças vivas do riso, da carnavalização, da polêmica, da paródia, da ironia. (Faraco, 2009, p. 79)

Como se pode observar, com base nessa concepção, a alfabetização ganha um significado político, assumindo como objetivo garantir o direito à voz, à palavra e à possibilidade de livre expressão. Em princípio, é por esse motivo que se pode defender o sentido transformador da aquisição da escrita.

A ALFABETIZAÇÃO NO PROJETO EDUCATIVO

A língua é, indiscutivelmente, constitutiva do ser humano. Para Bakhtin (1988, 1992), viver é participar do grande simpósio universal, no qual as práticas discursivas dão sentido à existência. A melhor forma de compreender isso é pela via inversa, isto é, pela consideração da condição humana na eventual ausência de comunicação e interação entre as pessoas. A esse respeito, vale lembrar a célebre obra *Robinson Crusoé*, na versão de Tournier[4] (1985, p. 46-47), na qual o conhecido náufrago se vê em uma ilha desabitada, vivendo na mais absoluta solidão:

> A solidão não é uma situação imutável em que eu me encontraria mergulhado desde o naufrágio do Virginie. É um meio corrosivo que age em mim lentamente, mas sem pausa, e num sentido puramente destrutivo.
> No primeiro dia, eu transitava ente duas sociedades humanas igualmente imaginárias: o pessoal de bordo desaparecido e os habitantes da ilha, pois julgava-a povoada. Encontrava-me ainda quente de todos os contatos com os meus companheiros de bordo. Prosseguia imaginariamente o diálogo interrompido pela catástrofe. A ilha, depois, revelou-se deserta. Caminhei numa paisagem sem alma viva.
> Atrás de mim, mergulhava na noite o grupo dos meus infelizes companheiros. Já as suas vozes tinham há muito silenciado quando a minha começava apenas a cansar-se do solilóquio. Desde aí, sigo com horrível fascínio o processo de desumanização cujo trabalho inexorável sinto em mim.

O texto é especialmente oportuno para que se compreenda o outro como espelho na edificação do eu social, a língua como substância essencial do funcionamento psíquico. No contexto da existência tipicamente humana, o ser "por si só" é um personagem meramente físico, despido de identidade e de patrimônio cultural. É na relação como o outro que o sujeito se coloca na esfera discursiva, saindo de uma condição puramente orgânica (ou animal) para verdadeiramente se humanizar: conhecer o mundo, aprender conteúdos, assimilar valores, partilhar ideias e incorporar crenças. Nas palavras de Bakhtin (1988, p. 108): "Os indivíduos não recebem a língua pronta para ser usada; eles penetram na corrente da comunicação verbal; ou melhor, somente quando mergulhamos nessa corrente é que sua consciência desperta e começa a operar".

Além da inserção na esfera social e da consequente geração da consciência, a língua garante o direito à palavra que singulariza o homem pela possibilidade de assumir posturas ou papéis sociais e, consequentemente,

4. Com o objetivo de explicar a dimensão constitutiva da língua, o excerto (Tournier, M. *Sexta-feira ou os limbos do Pacífico*. São Paulo: Difel, 1985) foi originalmente apresentado por Geraldi (1993).

responsabilidades na relação com o que está a sua volta. Vem daí a possibilidade de agir sobre o mundo e ser por ele transformado. Nesse sentido, todo enunciado pressupõe (e, ao mesmo tempo, implica) posicionar-se perante os outros de modo responsivo – uma vez que, por meio da linguagem, a ponte lançada entre o eu e os outros, já no seu contexto de produção, situa possibilidades de encontros e desencontros, concordâncias e dissonâncias em função do que eu sei, do que eles sabem, do que não sabem, do que eles pensam que eu sei ou não sei, do que eles gostariam de saber, do que me convém dizer e do como lhes convém reagir (Bakhtin, 1992). Como toda palavra espera por uma contrapalavra (ainda que ela se concretize no silêncio ou na indiferença, posturas que não deixam de ser modos de recepção), nós falamos e escutamos, lemos e escrevemos de modo responsivo, isto é, com os olhos dos outros, para os outros e em função dos outros. Curiosamente, até mesmo aquele que fala consigo ou escreve para si pressupõe um "outro eu" que, de alguma forma, escuta e reage.

Quando uma pessoa se coloca como membro de um partido ou adepto de uma religião, torcedor de um time ou defensor de uma causa, quando diz "sim" ou "não", quando defende uma teoria ou busca provar determinada tese, ela deixa de ser "um qualquer" para se individualizar como alguém que age e retroage em função de valores assumidos, de uma identidade incorporada ou de um projeto de vida desejado.

Ora, se a edificação do ser humano se faz já na oralidade pelas inúmeras interações na e pela língua, podemos supor o salto qualitativo daqueles que, pela aprendizagem da escrita, ampliam seus horizontes discursivos e, por essa via, suas esferas de ação e intervenção. Da mesma forma, podemos supor as transformações de uma sociedade que passa a se guiar pelos referenciais da cultura escrita para instituir modos de organização e de comportamento.

Aprender a ler e escrever significa, portanto, (res)significar a linguagem e, assim, redimensionar a relação com o mundo, sendo possível interagir até mesmo com interlocutores ausentes, em outros contextos, a despeito do distanciamento de tempos e espaços. Como as mesmas histórias podem ser eternamente contadas e recontadas, como as ideias podem ser registradas de modo indelével, como as conquistas humanas podem ser armazenadas na imensa biblioteca de saberes, fatos e feitos, a escrita requalifica a existência a ponto de viabilizar até mesmo a imortalidade humana. Homens e mulheres morrem; suas palavras ficam e, assim, a própria vida ganha outro significado.

É por esse motivo que se pode (também) defender o sentido transformador da língua escrita.

O IMPACTO TRANSFORMADOR DA AQUISIÇÃO DA LÍNGUA ESCRITA

Quando tomado pela ótica de um projeto educativo constituinte dos seres humanos e das sociedades, o potencial transformador da alfabetização (como já se disse, nem sempre suficientemente reconhecido entre os educadores) merece ser visto por diferentes dimensões que se complementam.

No que diz respeito à dimensão *linguística*, é preciso destacar a produção textual como um trabalho de elaboração mental que, a partir do que é dado (a substância circulante no simpósio universal), produz o novo, uma construção única, que justifica a condição do sujeito autor (ou, nas palavras de Bakhtin, "o autorar"). Como cada enunciado se depura com base na massa discursiva pela ação do sujeito, ele "nunca é somente reflexo ou expressão de algo já existente, dado, concluído. Um enunciado sempre cria algo que nunca havia existido, algo absolutamente novo e irrepetível" (Bakhtin, 1992, p. 408). É nesse sentido que devemos compreender o impacto transformador dado pela "labuta da escrita": "Palavras são recursos expressivos disponíveis na língua, mas são as operações com esses recursos que produzem o sentido efetivo do discurso" (Geraldi, 2009, p. 227). Ler, escrever, interpretar, reconstituir significados e negociar sentidos são trabalhos que certamente geram produtos, atribuindo novos significados à língua e aos indivíduos.

Como consequência do trabalho linguístico, a aquisição da escrita, em uma dimensão intrapessoal, representa também a incorporação de instrumentos auxiliares do pensamento, o que alavanca o desenvolvimento das funções psicológicas superiores em atividades como classificar, catalogar, confrontar, planejar e sistematizar dados, entre tantas outras possibilidades de elaboração mental (Vygotsky, 1987). Assim, a alfabetização permite "participar ativamente da vida social, agindo e interagindo com significações e conhecimentos sistematizados historicamente, num processo humanizador que requalifica o psiquismo, fazendo-o alçar patamares cada vez mais elevados" (Dangió e Martins, 2015. p. 213).

No que diz respeito à dimensão *interpessoal*, Soares (2003) explica como o processo de letramento pode sustentar um novo "estado" ou "condição" do sujeito, já que o trânsito no universo da língua e a possibilidade de participar de diferentes atividades letradas reconfiguram sua posição na sociedade pelos modos como se torna capaz de "exercer as" e "usufruir das" práticas de leitura e escrita.

No que se refere à dimensão *política*, que rege a relação do sujeito com o seu meio, vale dizer que, na emergência de novos olhares sobre a realidade e novas interpretações sobre as situações vividas, o ser humano tem, em contrapartida, novas possibilidades de ação, de intervenção e de recriação da realidade. Este é o verdadeiro sentido da educação libertadora postulada por Freire (1983): a leitura do mundo precede à leitura da palavra e esta, por sua vez, amplia a compreensão do mundo a ponto de se poder recriá-lo. De fato, pela transição do plano sensível para o inteligível, o sujeito se coloca como agente na transformação de seu mundo, seja para enfrentar e resolver problemas, seja para reagir à realidade do que, a princípio, aparece como dado e definitivo.

Juntas, essas três dimensões justificam o potencial transformador da alfabetização.

O ALCANCE DO IMPACTO TRANSFORMADOR NA AQUISIÇÃO DA ESCRITA

Até aqui insistimos no impacto transformador da escrita e da alfabetização pelas implicações linguística, existencial, educativa, cognitiva, psíquica, social e política na relação objetiva do sujeito com a realidade. A essa lista de empoderamento humano importa acrescentar a língua, e particularmente a língua escrita, como dispositivos que, para além dos planos racional e objetivo, favorecem o acesso, não menos importante, ao plano ficcional, hipotético e afetivo, o mundo do imaginário e dos sentimentos. Se a aquisição da escrita permite a passagem do sensível para o inteligível e deste para uma ação transformadora concreta, ela propicia também uma volta ao sensível e, por essa via (agora enriquecida pelo acesso à ficção, ao imaginário e à literatura), estabelece uma nova relação com o real. Isso porque, segundo Zilberman (2009), na literatura, a imagem simbólica do mundo nunca se dá de forma completa e fechada, razão pela qual o leitor é conclamado não só ao deciframento e à interpretação, mas também ao preenchimento de lacunas, acrescentando (mais) vida ao mundo forjado pelo escritor.

O autor escreve com base em sua visão de mundo e em suas experiências; o leitor, por sua vez, dialoga com o texto, "assumindo-se como coautor" em uma posição também afetiva. Em função dessa experiência sensível, é possível construir cenários, situações e narrativas inusitados que, inclusive, podem afetar as relações na escola.

> Já que a leitura é necessariamente uma descoberta de mundo, procedida segundo a imaginação e a experiência individual, cumpre deixar que esse processo se viabilize na sua plenitude. Além disso, sendo toda a interpretação em princípio válida, porque oriunda do universo representado na obra, ela impede a fixação de uma verdade anterior e acabada, o que ratifica a expressão do aluno e desautoriza a certeza do professor. Com isso, desaparece a hierarquia rígida sobre a qual se apoia o sistema educativo, o que repercute em uma nova aliança, mais democrática, entre o docente e o discente. E com consequências relevantes, já que o aluno torna-se coparticipante, e o professor, menos sobrecarregado e mais flexível para o diálogo. (Zilberman, 2009, p. 36)

É assim que o impacto transformador da língua escrita ganha espaço e se fortalece no contexto das práticas discursivas em sala de aula, onde podemos conquistar não só o direito à palavra (interpretada ou construída), como também o direito de pensar, sentir e preencher os vazios de dado contexto, de modo que o conhecimento do mundo favoreça a revelação do meu mundo. Em outras palavras, a aprendizagem da escrita pressupõe a disponibilidade para ir além do já sabido, além do real para, talvez, criar alternativas inusitadas capazes de lidar com a realidade, com aquilo que sou ou gostaria de ser. Como muitos outros exemplos da literatura em que a escrita e a leitura ressignificam o leitor, os fatos e os contextos de mundo[5], o texto a seguir é um exemplo dessa possibilidade:

---

5. A esse respeito, recomendamos a leitura de obras literárias que, por diferentes vias, situam o potencial transformador dos livros e da leitura: *O menino que comeu uma biblioteca*, de Leticia Wierzchowski (Rio de Janeiro: Bertrand Brasil, 2018); *A menina que roubava livros*, de Markus Zusak (Rio de Janeiro: Intrínseca, 2019); *A livraria mágica de Paris*, de Nina George (Rio de Janeiro: Record, 2016); e o infantojuvenil *O livro selvagem*, de Juan Villoro (São Paulo: Cia. das Letras, 2011). Recomendamos também a animação de Leo Madureira "Os fantásticos livros voadores do Sr. Morris Lessmore" (Oscar de melhor curta de animação, 2012). Disponível em: <https://www.youtube.com/watch?v=LjkdEvMM5xs>. Acesso em: 4 jan. 2021.

Jordi Sierra i Fabra: *Kafka e a boneca viajante*[6]

Um ano antes de sua morte, Franz Kafka viveu uma experiência singular. Passeando pelo parque de Steglitz, em Berlim, encontrou uma menina chorando porque havia perdido sua boneca.
Kafka ofereceu ajuda para encontrar a boneca e combinou um encontro com a menina no dia seguinte no mesmo lugar.
Não tendo encontrado a boneca, ele escreveu uma carta como se fosse a boneca e leu para a garotinha quando se encontraram. A carta dizia: "Por favor, não chore por mim, parti numa viagem para ver o mundo".
Durante três semanas, Kafka entregou pontualmente à menina outras cartas que narravam as peripécias da boneca em todos os cantos do mundo: Londres, Paris, Madagascar... Tudo para que a menina esquecesse a grande tristeza!
Esta história foi contada para alguns jornais e inspirou um livro de Jordi Sierra i Fabra, *Kafka e a boneca viajante*, em que o escritor imagina como teriam sido as conversas e o conteúdo das cartas de Kafka.
No fim, Kafka presenteou a menina com uma outra boneca. Ela era obviamente diferente da boneca original. Uma carta anexa explicava: "Minhas viagens me transformaram..."
Anos depois, a garota encontrou uma carta enfiada numa abertura escondida da querida boneca substituta. O bilhete dizia: "Tudo que você ama você eventualmente perderá, mas, no fim, o amor retornará em uma forma diferente".

O que fica evidente no episódio da boneca viajante é o potencial da língua escrita para lidar com situações cotidianas, superando a concretude dos fatos (no caso, a perda da boneca) para negociar sentimentos e preencher lacunas que a realidade não foi capaz de oferecer. Mais do que conhecimento, conscientização e recriação da realidade, a língua escrita pode, pelas vias da ficção e do imaginário, lidar com sentimentos, sonhos, desejos, perdas e dramas pessoais. Nessa perspectiva, é também um caminho para a humanização e, portanto, para a transformação das pessoas.

6. Blogue Contando histórias. Disponível em: <http://www.contandohistorias.com.br/historias/2006692.php#.XH_YPIhKjIU>. Acesso em: 6 mar. 2020.

CONSIDERAÇÕES

À luz do confronto entre um ensino como controle ou como instrumento do mercado econômico e a prática educacional focada nos direitos humanos, importa alertar para o fato de que o desejável potencial transformador da alfabetização não é uma consequência garantida pela aprendizagem formal da língua. Tendo em vista o perigo de ser solapada pela mecanização do sujeito, por estratégias de controle, pela manipulação das massas e pela formação de uma sociedade submissa, a emancipação do ser humano no e pelo processo de letramento passa, assim, a ser um desafio tão urgente quanto os esforços de erradicação do analfabetismo: o como ensinar a ler e escrever é tão importante quanto o próprio ensinar a ler e escrever.

Por isso, importa defender a alfabetização não com belas palavras que, de modo supostamente óbvio, são impressas nas políticas educacionais, nas diretrizes de ensino e nos currículos escolares; importa defendê-la com uma prática discursiva no contexto da escola e da vida social.

A esse respeito, é preciso rever princípios arraigados na cultura escolar. A língua escrita não poderia ser vista como um pré-requisito para os conhecimentos, posto que ela é, em si, um campo inesgotável de conhecimento e, portanto, uma meta escolar de longo prazo. Isso porque ensinar a ler e escrever não é garantir ao sujeito o traçado de letras convencionais, a apreensão do sistema alfabético, tampouco a assimilação de regras ortográficas, gramaticais e sintáticas (embora esses ensinamentos não possam ser descartados). Da mesma forma, a aquisição da língua não está vinculada a uma intervenção escolar que põe em marcha o desabrochar de um suposto dom natural do sujeito. Pobre da professora que se vê nesses papéis limitados de sua profissão!

Ensinar a língua escrita é criar um arcabouço educativo para a constituição de si ou de um grupo social em uma perspectiva efetivamente humana. Como compromisso educativo efetivamente transformador, os esforços dirigidos ao ensino da língua escrita devem incidir sobre a formação linguística, pessoal, psíquica, afetiva, social e política das pessoas – dimensões que, certamente, extrapolam os limites estritos da escola, justamente porque se comprometem com o aluno em uma perspectiva existencial e com a construção da sociedade democrática.

2. A contribuição de Vigotski

O capítulo anterior coloca em evidência o papel da alteridade na constituição do ser humano e, particularmente, o significado da língua — que, para além da função básica de comunicação entre as pessoas, situa o sujeito na realidade, determinando a relação dele com o seu mundo, a constituição da consciência e de si mesmo. Trata-se de uma condição que explica a centralidade da linguagem assumida pelo referencial histórico-cultural e, em especial, por Vigotski. Para ele, as funções superiores, tipicamente humanas, têm origem nos processos sociais sempre mediados por instrumentos que permitem a ação do sujeito sobre o mundo (Vygotsky, 1987, 1988; Vygotski, 2000). Assim, com base na relação do sujeito com os objetos de seu mundo e com as pessoas do seu universo, o processo de aprendizagem alavanca o desenvolvimento, em uma relação dialética com e articulada ao contexto histórico-cultural. Esse processo dinâmico e necessariamente singular favorece a passagem da dimensão interpessoal para a intrapessoal. Em outras palavras, é possível afirmar que, do ponto de vista do indivíduo, o mundo vai, progressivamente, se tornando o seu mundo. Ao explicar essa transposição do mundo exterior para o plano individual, Geraldi, Fichtner e Benites (2006, p. 16) afirmam que

> o sujeito cria a si mesmo nas relações sociais. O núcleo mais íntimo e subjetivo de cada indivíduo, a consciência, é de natureza social e cultural. A construção desse núcleo não é um processo de cópia de uma realidade externa e social. Ao contrário, trata-se de um processo ativo em que o indivíduo constrói a si mesmo como sujeito, transformando as relações sociais em funções psicológicas superiores.

Em suas investigações, Vygotski (2000) procurou compreender a pré-história da linguagem, evidenciando como do gesto é possível chegar ao desenho, ao brinquedo ou à fala e, desta, à escrita – processo que, indiscutivelmente, tem fortes implicações pedagógicas. Nas palavras de seu colaborador Luria (1998, p. 143),

> o momento em que a criança começa a escrever seus primeiros exercícios escolares em seu caderno de anotações não é, na realidade, o primeiro estágio do desenvolvimento da escrita. As origens deste processo remontam a muito antes, ainda na pré-história do desenvolvimento das formas superiores do comportamento infantil; podemos até mesmo dizer que, quando uma criança entra na escola, ela já adquiriu um patrimônio de habilidades e destrezas que a habilitará a aprender a escrever em tempo relativamente curto.

Desde que a inteligência prática (pensamento pré-verbal, como um comportamento dirigido conscientemente para determinado fim) e a fala pré-intelectual (manifestações vocais sem a função de signo) se encontram, por volta dos 2 anos de idade, o surgimento do pensamento verbal atrelado à linguagem simbólica marca um momento crucial na constituição da pessoa – que de uma condição biológica passa à condição sócio-histórica. Assim como os instrumentos materiais permitem a relação do sujeito com o seu mundo (como é o caso da enxada na prática do plantio), os signos e a linguagem funcionam como meio auxiliares na resolução de problemas, configurando-se como efetivos "instrumentos psicológicos" no exercício de atividades voluntárias, tais como classificar, relatar, informar, fazer relações e comparar dados.

Para tanto, o trânsito entre o pensamento e a linguagem passa a ser uma corrente ininterrupta e de dupla mão: na fala ou na escrita, a pessoa parte do pensamento (evocação da ideia), que se transforma em discurso interno e, deste, projeta-se para a construção do significado e a transformação da mensagem em linguagem socializada, oral ou escrita; pela via inversa, na escuta ou leitura (ambas pela linguagem socializada), ao ouvir o outro ou debruçar-se sobre um texto, o sujeito apreende significados e transita por sentidos (valores, modos de recepção e de interpretação), negociando-os por meio do discurso interno até chegar ao plano das ideias (Colello, 2004b). Nesse fluxo de vaivém, o sujeito se coloca no mundo simultaneamente ao processo de compreendê-lo, interpretar e transformar a sua realidade; ele é afetado pelo mundo ao mesmo tempo que o afeta, transformando-o em modos inevitáveis de ser, estar, reagir, interagir e aprender.

No plano pessoal, a emergência da linguagem torna possível o pensamento generalizante, que, pelo amálgama entre o significado e a palavra, gera a própria consciência. No plano social, inauguram-se possibilidades de interações mais sofisticadas entre as pessoas, que tanto pela comunicação como pela representação mental compartilhada viabilizam a divisão do trabalho, o planejamento de ações no meio em que vivem e os processos de construção e organização do conhecimento.

A revolução qualitativa dada pela conquista da língua, que, já na oralidade, fortalecia a condição tipicamente humana e social, tem o seu correlato na aprendizagem da língua escrita. Pela alfabetização, o sujeito inaugura uma nova forma de trânsito entre o pensamento e a linguagem, reconfigurando inclusive a possibilidade de circulação entre a fala e o pensamento (tendo em vista que o ler e escrever tem um considerável impacto sobre o escutar e falar). Por isso, não seria exagero dizer que a linguagem está para a constituição da humanidade assim como a língua escrita está para a constituição da cidadania no contexto da cultura letrada. A fim de explicar essa concepção vigotskiniana, alguns autores (Colello, 2017a; Colello e Lucas, 2018) afirmam que o trânsito linguístico que, com o advento da oralidade, permitiu um sofisticado sistema de comunicação e de organização do pensamento encontra, no processo de alfabetização, novas bases para o funcionamento psíquico. Porém, longe de constituir uma reedição do processo de aquisição linguística, a aprendizagem da leitura e da escrita depende de um amadurecimento do universo simbólico: do simbolismo de primeira ordem (gestos, brinquedos, desenhos e fala) para o simbolismo de segunda ordem (escrita) – trajetória que pressupõe um novo posicionamento do sujeito no processo comunicativo, construído sobre novas bases de funcionamento psíquico:

> O processo de escrever exige funções novas, entre outras a da relação da criança com a sua própria fala e a possibilidade de dirigir-se ao outro mesmo ele estando ausente [...]. Trata-se na escrita de aprender agora uma descontextualização que vai além do objeto para incluir também aquele a que o que é escrito se dirige. (Geraldi, Fichtner e Benites, 2006, p. 32-33)

Assim, o grande mérito de Vigotski nessa área foi inaugurar uma nova perspectiva para a pedagogia da alfabetização, descartando estratégias artificiais e mecanicistas centradas nas habilidades motoras e na associação de letras e sons:

> Até agora, a escrita ocupou um lugar estreito na prática escolar, em relação ao papel fundamental que ela desempenha no desenvolvimento cultural da criança. Ensina-se às crianças a desenhar letras e construir palavras com elas, mas não se ensina a linguagem escrita. Enfatiza-se de tal forma a mecânica de ler o que está escrito que acaba-se obscurecendo a linguagem escrita como tal. (Vygotsky, 1988, p. 119)

Conforme já se disse, compreender a aprendizagem da escrita como a aquisição de um sistema simbólico que se inicia muito antes do ingresso na escola permite ao professor um novo posicionamento em face de um processo cognitivo já em curso: um ensino que incide sobre a negociação de significados e sentidos sob determinadas circunstâncias comunicativas, e não a mecanização de operações com letras e sinais gráficos. Já nas primeiras pesquisas realizadas, Luria (1988) demonstrou que, pela imitação dos modos de registro típicos do adulto, a criança chega ao ponto de atribuir uma funcionalidade ao traçado (como o uso de símbolos mnemotécnicos que a ajudam a recuperar dada informação) e, por essa via, acaba por descobrir a função da escrita (Luria, 1988; Oliveira, 1995; Vygotsky, 1988). Desde então, inúmeras outras pesquisas (Faria e Mello, 2005; Góes e Smolka, 1995; Smolka, 2008; Smolka e Góes, 1995) comprovaram que as crianças, sobretudo aquelas de meio urbano, interagem desde muito cedo com e no ambiente letrado, o que resulta não só em diferentes graus de aprendizagem como também na valoração da escrita e na disponibilidade para aprender.

Com base nesse referencial é possível, em primeiro lugar, compreender as diferenças entre as crianças que ingressam na escola, uma realidade bem típica das escolas brasileiras. Como as experiências de leitura e escrita não são igualmente distribuídas na população, os conhecimentos que possuem variam conforme as condições de vida, os modos como percebem a organização do mundo, as formas de interação verbal com outras pessoas, a quantidade de escrita em seu meio e a percepção de suas funções no contexto das comunicações sociais (Oliveira, 1997; Smolka, 2008). Desconsiderar essa realidade é fechar os olhos para os mecanismos de fracasso que, desde muito cedo, ameaçam a vida escolar.

Em segundo lugar, é possível compreender a escrita como objeto de ensino estreitamente vinculado à natureza da língua como prática de comunicação e interação. É nesse sentido que se pode entender a máxima de Vigotski

(1988, p. 134): "O que se deve fazer é ensinar às crianças a linguagem escrita, e não apenas a escrita das letras".

Finalmente, vale destacar as implicações pedagógicas desse princípio, que apontam para um ensino centrado mais no processo do que no produto da escrita; um ensino capaz de incidir sobre a apropriação simbólica da língua, resgatar as funções sociais e os propósitos comunicativos do ler e escrever (Colello, 2007, 2012, 2015, 2017a e b; Nogueira, 2017; Smolka, 2017; Soares, 1991, 1998, 2003). Mais do que um aprendizado estrito, a alfabetização deve, no curso de um longo processo, ampliar as perspectivas de desenvolvimento, trazendo novas possibilidades de se manifestar, interagir e organizar o mundo. Como se sabe (Scribner e Cole, 1981; Matêncio, 1994), não é a aprendizagem das letras em si que promove formas mais abstratas e elaboradas de pensamento, mas o conjunto de experiências de letramento que, na escola e na sociedade, se imprimem com impacto significativo no sujeito. Como a aprendizagem não é uma consequência necessária do ensino e como o desenvolvimento não é algo que possa ser diretamente ensinado, cabe ao professor criar condições para que os alunos vivenciem efetivamente a língua escrita, pensem sobre o seu funcionamento e deem sentido ao ler e escrever; cabe ao docente aproximar as práticas sociais de comunicação dos propósitos didáticos, ou seja, associar a língua que se aprende na sala de aula ao contexto da própria vida. Assim,

> implantar práticas de linguagem na sala de aula é substituir um objeto dado para estudo (uma gramática tradicional ou não, uma teoria linguística, uma teoria literária, uma história da literatura) pelo convívio reflexivo com recursos linguísticos mobilizados na produção ou na leitura de textos, pelo convívio com a obra de arte verbal e os recursos aí mobilizados. (Geraldi, 2014, p. 215)

3. A abordagem histórico-cultural: a escrita como trabalho[7]

No contexto dos problemas educacionais, a constatação de concepções e práticas pedagógicas viciadas na alfabetização parece insuficiente se os debates não puderem incorporar reflexões sobre os desafios do ler e escrever – e, de modo específico, os desafios do ler e escrever no mundo de hoje. Assim, como se não bastasse a necessidade de se repensar o ensino em função da herança do passado e da conjuntura do presente (o imenso contingente de analfabetos e analfabetos funcionais), é preciso ajustar as práticas pedagógicas à realidade da sociedade tecnológica e globalizada, isto é, aos apelos da nossa sociedade e às perspectivas de um porvir nem sempre previsível. De fato, no século XXI, não basta aprender a ler e escrever no sentido restrito de dominar o funcionamento do sistema alfabético ou de conhecer as regras ortográficas e gramaticais. Isso porque, desde os anos 1980, em função da nova configuração de mundo, das demandas do mercado de trabalho, da abertura política no país, dos aportes da psicologia e das ciências linguísticas no campo da educação fica evidente a necessidade de se garantir o uso eficiente da língua; mais do que nunca, é preciso formar o sujeito leitor e escritor com base em um amplo leque de competências. Decorrem daí dois questionamentos importantes:

1. Como a aprendizagem da língua escrita e de sua tecnologia, no contexto das práticas sociais contemporâneas, é transformadora do sujeito?
2. Como as demandas do mundo moderno, tecnológico e globalizado transformam o sentido do ler e escrever e da própria alfabetização?

Na perspectiva histórico-cultural (Vigotskii, Luria e Leontiev, 1988; Leontiev, 1978; Luria, 1990; Vygotsky, 1988), cada sociedade produz instrumentos próprios e, em função deles, modos de trabalho e de organização so-

7. Texto atualizado e adaptado com base em excerto da tese de livre-docência *A escola e a produção textual: conteúdos, formas e relações* (Colello, 2015).

cial. Superando as teorias que explicavam os processos psicológicos pela relação estímulo-reposta, Vygotsky (1988), concebe o desenvolvimento psíquico atrelado ao mundo real, social e histórico pela progressiva internalização das atividades diárias, razão pela qual o conceito de atividade constitui um eixo privilegiado das pesquisas realizadas por seu grupo de trabalho. O desenvolvimento humano – seja nos planos filo e ontogenético (os percursos da espécie humana e do sujeito como membro dessa espécie que aprende e se desenvolve), seja nos planos da sócio e da microgênese (os condicionantes sociais da aprendizagem e a história individual desse processo) – está estreitamente vinculado à ação do sujeito no seu contexto de vida.

Porém, enquanto para Vygotsky (1988) a ação está sempre vinculada à mediação linguística, fazendo do significado das palavras a unidade primordial de análise, seu colaborador Leontiev (1978), partindo do mesmo referencial teórico (particularmente dos conceitos de mediação, interação social e internalização), toma a atividade como eixo privilegiado de estudo. Considerando a realidade humana que, por meio das atividades, se abre cada vez mais para a criança, o autor (1988, p. 59) afirma:

> Em toda sua atividade e, sobretudo em seus jogos, que ultrapassam agora os estreitos limites da manipulação de objetos que a cercam, a criança penetra um mundo mais amplo, assimilando-o de forma eficaz. Ela assimila o mundo objetivo como um mundo de objetos humanos reproduzindo ações humanas com eles. Ela "guia" um carro, aponta uma "pistola", embora seja realmente impossível andar em seu carro ou atirar com sua arma.

Contrapondo-se à atividade natural (como o trabalho das abelhas ao construir uma colmeia), a concepção da atividade de Leontiev incorpora a noção marxista de atividade como ação consciente, criativa e transformadora, que é necessariamente orientada para um fim. Para ele, a atividade humana é a ação pela qual o indivíduo, movido por uma intenção, entra em contato com o mundo, influenciando-o e sendo influenciado por ele; a relação entre o "fazer humano" e os apelos de um contexto histórico constitui-se na forma de uma dinâmica que compõe a base da construção do conhecimento e da consciência. Cultura e cognição estão, portanto, mutuamente constituídas por meio das atividades realizadas diariamente. Nas palavras do autor (1978, p. 66-67),

> a atividade é uma unidade molecular [...], é a unidade da vida mediada pelo reflexo psicológico cuja função real consiste em orientar o sujeito no mundo objetivo. Em outras palavras, atividade não é uma reação nem um conjunto de reações, senão um sistema que tem estrutura, suas transições e transformações internas, seu desenvolvimento.

A dinâmica das atividades é caracterizada pelo triângulo, típico das práticas sociais, sujeito-ferramenta-objeto (como na situação homem-arado-plantação), que se sustenta por uma relação em que a mudança em um dos vértices se reflete nos demais, conforme ilustra a Figura 1:

FIGURA 1 – TRIANGULAÇÃO DA ATIVIDADE HUMANA

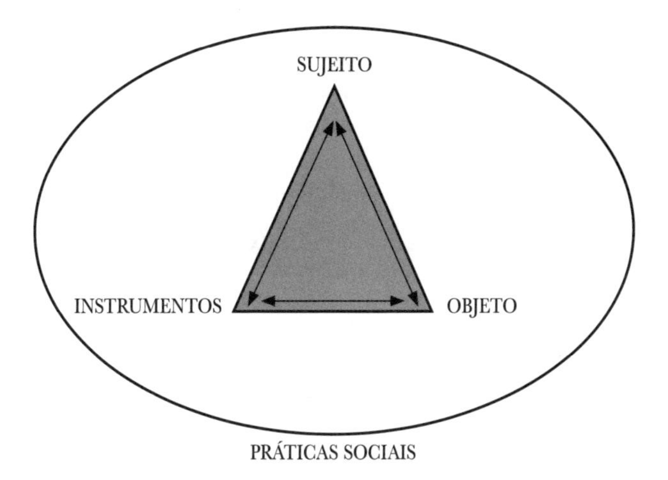

Na dialética dessa relação de constante mudança, o desenvolvimento humano é dado tanto pela apropriação de ferramentas (materiais ou simbólicas) próprias de um tempo e de um lugar, como pela ampliação que elas acarretam no funcionamento psíquico (como a cognição, a capacidade de organização e de percepção) – o que, por sua vez, favorece uma nova relação com a realidade, abrindo, inclusive, a perspectiva para a organização do trabalho, a construção de novos objetos e de recursos instrumentais. Partindo desse referencial,

> a escrita é, talvez, o exemplo mais claro desta espiral autopoiética. Leitura e escrita transformam as capacidades cognitivas no que se refere ao trata-

mento da informação, tornando possíveis os avanços tecnológicos por meio da construção de novas ferramentas, como a imprensa e os meios de comunicação digital. Contudo, essas ferramentas expandiram, ao mesmo tempo, o uso da leitura e da escrita, universalizando-as e mediando o desenvolvimento das pessoas. (Lalueza, Crespo e Camps, 2010, p. 47)

No contexto das práticas sociais, a dinâmica de uso e aprendizagem da língua escrita nas suas relações com a apropriação de um instrumental está ilustrada pela Figura 2:

FIGURA 2 – TRIANGULAÇÃO DA ESCRITA COMO ATIVIDADE

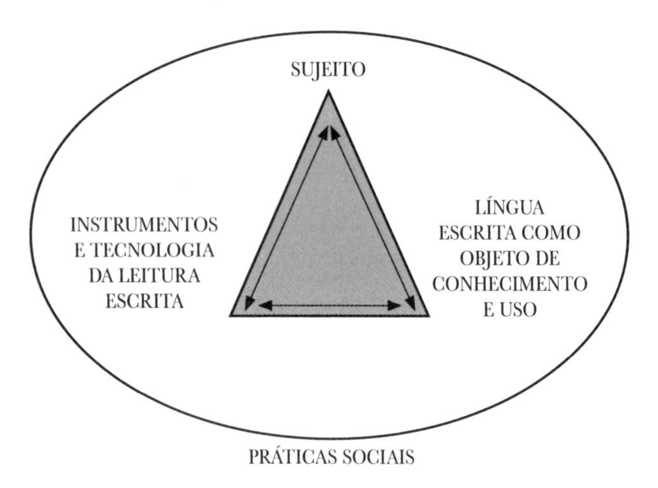

Os vértices da articulação entre o sujeito, a língua escrita e a tecnologia da escrita ilustram uma dinâmica constante e de mútua transformação.

A apropriação da língua como objeto de conhecimento – aprendizagem e uso nas práticas sociais – permite atribuir à escrita um *status* de efetivo trabalho (Geraldi, 2009, 2014). Por isso, o ato de escrever (ou autorar) merece ser compreendido como produção textual – a árdua tarefa de se posicionar a partir do outro e para o outro mediante opções ideológicas, linguísticas e discursivas – e não como a aplicação de um arsenal de conhecimento que foi imposta ao sujeito. "Falar em 'produção de textos' é remeter a uma concepção outra: produção implica condições de produção, instrumentos de produção, relações de produção, agentes de produção" (Geraldi, 2014, p. 216).

A aproximação entre sujeito e tecnologia da escrita, por sua vez, dá sentido ao uso dos recursos e amplia a circulação do indivíduo (e de sua produção) na esfera das práticas sociais. Assim como o sujeito se transforma pela aprendizagem da escrita, ele amplia a sua condição de lidar com suas tecnologias, recriando a língua e a possibilidade de uso dos instrumentos a ela vinculados.

Respondida a primeira questão sobre a aquisição da língua escrita como prática social transformadora, resta enfrentar a segunda pergunta para discutir como isso acontece no contexto do nosso mundo: de que forma as demandas da sociedade globalizada e tecnológica transformam e ressignificam as práticas e o ensino da escrita?

Vivemos, há várias décadas, em um movimento frenético de mudança, fortemente sustentado pelo aparecimento de tecnologias; um movimento que aponta para novas configurações políticas, econômicas, sociais e culturais, incidindo sobre tipos de trabalho, atuação profissional, modalidades de lazer, comunicação, relacionamento e aprendizagem. As aulas virtuais, o ensino a distância, as práticas de simulação do real, o telemarketing, as comunicações on-line, a incorporação do virtual nas situações diárias e o comércio eletrônico são apenas exemplos das novas formas de ser e de se inserir no mundo. Perpassando todas essas práticas que circunscrevem a relação entre as pessoas, os diversos exercícios de leitura e de escrita são constitutivos das atividades em si, ao mesmo tempo que dão novos sentidos ao uso da língua. Ignorar as tecnologias dos contextos letrados no processo de alfabetização seria dissociar a educação da própria vida; seria, mais uma vez, enclausurar o ensino aos limites dos muros da escola e lançar as habilidades adquiridas a uma esfera artificial, pouco significativa (Colello, 2017a; Coll e Illera, 2010; Gómez, 2015; Teberosky, 2004).

À luz dos apelos da sociedade da informação (SI), das tecnologias da informação e comunicação (TIC) e do meio letrado, a organização das propostas didáticas para o ensino da língua escrita passa (ou deveria passar), portanto, pela valorização da linguagem como prática social — inclusive como prática tecnológica (Colello e Luiz, 2019, 2020; Luiz, 2020). Como a atividade linguística não existe descolada de um fazer, de uma condição material e de um propósito, a alfabetização deveria estar fundada na própria pluralidade linguística e na diversidade de recursos técnicos; não há como separá-los. Se o mundo se anuncia como um espaço multidimensional, a escrita só faz sentido em uma perspectiva multifuncional, que requer não só o conhecimento da língua como a inserção do sujeito nas inúmeras esferas do contexto social e, ainda, impõe a ele a necessidade de conhecer e de lidar com o seu instrumental. Nesse sentido, a alfabetização pode ser um dos mais poderosos recursos para combater a alienação, a marginalidade, a opressão, o desemprego, o subemprego, a submissão e o abismo cultural que segrega os indivíduos. Lamentavelmente, trata-se de um potencial que nem sempre se realiza, como comprova o alto índice de analfabetismo funcional em nosso país.

A defesa da escrita como prática social capaz de transformar o sujeito e suas relações com a cultura recoloca, hoje, a triangulação do processo de alfabetização a partir das especificidades do nosso mundo: a emergência de um novo perfil de sujeitos – os nativos digitais –, que têm como desafio lidar com a complexidade do meio letrado no mundo das TIC. É o que ilustra a Figura 3.

FIGURA 3 – TRIANGULAÇÃO DA ESCRITA NO MUNDO GLOBALIZADO E TECNOLÓGICO

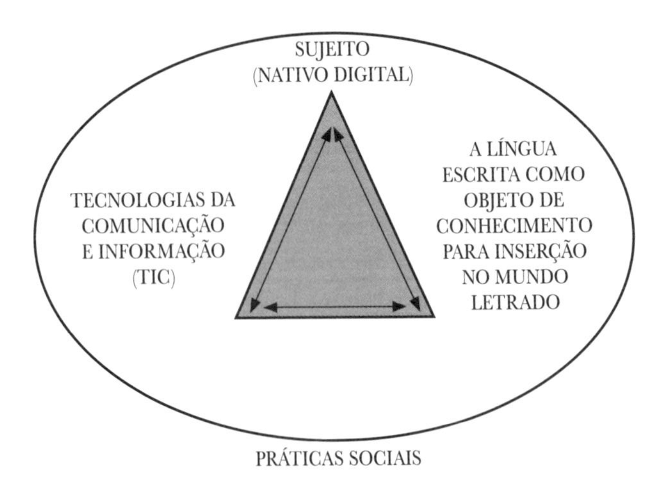

A constatação e a atualização dessa tríade no contexto de nosso mundo trazem novos desafios aos educadores (Ferreiro, 2013; Colello, 2017a; Teberosky, 2004). No polo do conhecimento da escrita, é preciso recuperar o viés educativo das metas educacionais: o ensino da língua como formação pessoal e compromisso político; a aprendizagem significativa centrada na atividade e na reflexão do sujeito; a alfabetização como prática transformadora dos indivíduos, da sociedade e da própria língua. No polo da instrumentalização técnica, importa situar a aprendizagem da língua escrita no contexto das TIC e do novo perfil de aluno, reconfigurando o papel do professor e das metodologias de ensino. Afinal, se os seres humanos, com suas máquinas, construíram o mundo que temos e teremos (Geraldi, Fichtner e Benites, 2006), vale a pena investir na formação dos sujeitos que queremos e nas relações que desejamos para a conquista da sociedade efetivamente democrática.

Nessa perspectiva, conceber a produção linguística (e, particularmente, a produção textual) como trabalho significa, também, conceber a alfabetização como trabalho; um trabalho essencialmente integrado ao projeto educativo, ao posicionamento discursivo e ao processo cognitivo de todos os alunos.

Sobre esse postulado, é possível, mais uma vez, encontrar uma sintonia entre as abordagens construtivista e histórico-cultural. Como representante da primeira corrente, Ferreiro (2001b, p. 22) afirma que "o ponto fundamental que se deve mudar é a ideia prestabelecida do objeto de estudo [...] É necessário mudar a própria concepção de objeto para que se entenda por que a alfabetização implica um trabalho conceitual". Quando se pensa em alfabetização, o que está em pauta é a alfabetização para o nosso tempo, com os recursos do nosso tempo (Ferreiro, 2002, 2013). Na prática escolar, para os representantes da abordagem histórico-cultural, isso significa

> ver o aluno como produtor, e não como recipiente de um saber pronto e dado como certo. Repensar as condições de produção e circulação de textos escritos: clarear objetivos (para que escrevo?), interlocutores (para quem escrevo?) temas e argumentos (sobre o que escrevo?), razões (por que escrevo?). (Geraldi, 2014, p. 16)

4. A contribuição de Bakhtin

Partimos da pergunta recorrente: qual é o sentido de aprender a ler e escrever e o que, no contexto da nossa sociedade, justifica essa aprendizagem?

Embora a alfabetização seja um objetivo indiscutível da escola e uma das metas mais esperadas por pais e educadores, não se pode dizer que transitamos nesse campo com certezas ou verdades instituídas sobre objetivos e procedimentos de ensino. A própria língua como conteúdo de ensino costuma patinar entre diferentes concepções, comprometendo a coerência dos planos didáticos e das estratégias em sala de aula.

Sem a pretensão de esgotar o tema, tampouco de exaurir os meandros de tantas concepções linguísticas, o delineamento de tendências na concepção da língua (e particularmente da escrita) pode fortalecer a construção de um paradigma capaz de balizar princípios, metas e diretrizes da alfabetização como projeto educativo. Para tanto, vale lembrar os três modelos linguísticos apresentados por diferentes autores (Bortolotto, 1998; Colello, 2010; Fiorin, 2009; Frigo e Colello, 2018; Geraldi, 1993; Luiz e Colello, 2020; Micotti, 2012): *objetivismo abstrato*, *subjetivismo idealista* e *linguagem discursiva e dialógica*.

Na visão mais reducionista, infelizmente muito arraigada na cultura escolar, parte-se do princípio de que a língua é um sistema fechado, constituído por marcas convencionais, por regras ortográficas e gramaticais que, uma vez dominadas, deveriam garantir a possibilidade de dizer e de compreender. Com base nos estudos de Saussure (1857-1913), a língua escrita tende a aparecer como um processo de comunicação objetiva, autônoma e praticamente inflexível, que se estabelece como canal de comunicação entre emissor e receptor: a escrita, como forma de codificação, e a leitura, como processo de decodificação das marcas impressas no papel. Nessa postura, conhecida como objetivismo abstrato, a escrita é valorizada pelo que foi concretamente registrado no papel (literalmente, o que se disse na impressão "do preto no branco").

Assim, o bom leitor é aquele que decifra e apreende objetivamente a mensagem trazida pelo texto, como se a interpretação fosse um processo inflexível. Desse ponto de vista, no esforço de garantir a interpretação, parece compreensível a clássica pergunta que os professores costumam fazer a seus alunos: "O que o autor quis dizer?" O bom escritor, por sua vez, é aquele que ascendeu à existência objetiva da língua, podendo fazer "uso correto e erudito" desse sistema independentemente dos interlocutores, dos propósitos ou das condições de produção. Isso justifica a existência de certos personagens que, postando-se como verdadeiros "donos da língua", desfilam na mídia – alguns até com programas no rádio ou colunas em jornais – ditando normas e regras do bem escrever, pretensamente para ajudar a população (em especial, os estudantes e vestibulandos), mas, implicitamente, difundindo mecanismos de discriminação sobre o povo inculto e ignorante, que assassina o "bom português" (Bagno, 2003, 2009; Bourdieu, 1998; Cagliari, 1989; Colello, 2004b; Dias, 2011; Faraco, 2005; Gnerre, 2003; Geraldi, 1993). A esse respeito, vale lembrar o significado ideológico que subsidia as práticas preconceituosas de correção linguística dentro e fora da escola:

> O estigma linguístico é a atribuição aos sujeitos de uma marca negativa em função de sua maneira de falar. Como a legitimidade e aceitação do modelo serão tanto maiores e mais eficientes quanto mais receberem a adesão do excluído, será preciso constantemente criar formas de convencimento e de dissimulação. (Britto, 2003, p. 37-38)

Fundada no trabalho de Chomsky (1928-), a segunda concepção entende a língua como expressão do pensamento, isto é, como uma dimensão subjetiva, enfatizando o autor pelo movimento de traduzir suas ideias e a escrita como manifestação de um universo individual. Nessa perspectiva, conhecida como subjetivismo idealista, aprender a escrever é lançar mão de inspiração e de mecanismos para transpor pensamentos para o papel, assumindo a natureza essencialmente criativa do dizer. A boa língua não existe por si só, como quer o objetivismo abstrato, uma entidade a ser alcançada; ela existe incorporada em determinados sujeitos que, na condição de autores consagrados, acabam se tornando modelos de escrita e de estilo. Por isso, muitos professores insistem em fornecer referenciais de bons escritores a seus alunos, ou em fazer exercícios de *brainstorm* acreditando na possibilidade de "acordar" o escritor que existe (ou deveria existir) em cada pessoa;

propõem a escrita como meio de exteriorizar a ideia de modo claro, recuperando com precisão aquilo que o sujeito tem a dizer, como se a construção do texto dependesse de dispositivos internos vinculados ao suposto "dom linguístico". Pela mesma lógica, é possível culpar alunos por suas eventuais dificuldades para escrever, atribuindo-as a limites pessoais. Em outras palavras, o que fica evidente é o pressuposto de que a aprendizagem da língua depende mais do indivíduo do que propriamente do ensino.

Como representante do terceiro modelo, a concepção da linguagem discursiva e dialógica de Bakhtin (1895-1975) rechaça as concepções monológicas da língua como objeto fechado em si e chama a atenção para a natureza essencialmente dialógica da língua, que se constrói e se atualiza permanentemente nas e pelas manifestações comunicativas. Marcado pelas relações interdiscursivas ou intertextuais, todo enunciado é uma produção linguística que se faz necessariamente como uma ponte entre sujeitos e como recriação da própria língua (Bakhtin, 1988, 1992).

Marcado pela infância em Vilnius (capital da Lituânia), cidade de contrastes linguísticos e de efervescência cultural, Bakhtin se deu conta do impacto da pluralidade de vozes sobre cada um de nós. Mais tarde, tendo dialogado com diversos movimentos de seu tempo – o neokantismo, a fenomenologia, o freudismo, o marxismo, a linguística e a filologia –, entendeu a pluralidade das vozes no contexto do confronto de ideias convergentes e divergentes; ideias que se fundem e se repelem regidas por forças centrífugas e centrípetas, em um permanente e inesgotável embate dialógico. Opondo-se à monologia dos cânones, concebeu a vida como um jogo tensionado por forças e valores. Viver é participar do grande simpósio universal no qual cada sujeito se define pelo contato com o outro por meio da linguagem (ou expressão semiótica), a matéria-prima da consciência.

> Como a realidade linguístico-social é heterogênea, nenhum sujeito absorve uma só voz social, mas sempre muitas vozes. Assim, ele não é entendido como verbalmente uno, mas como um agitado balaio de vozes sociais e seus inúmeros encontros e entrechoques. O mundo interior é, então, uma espécie de microcosmo heteroglóssico, constituído a partir da internalização dinâmica e ininterrupta da heteroglossia social. Em outros termos, o mundo interior é uma arena povoada de vozes sociais em suas múltiplas relações de consonâncias e dissonâncias; e em permanente movimento, já que a interação socioideológica é um contínuo devir. (Faraco, 2009, p. 84)

Já que a realidade não pode ser captada de modo direto, a compreensão de mundo é construída e projetada no conjunto dos discursos, evidenciando-se na forma de eventos linguísticos que refletem e, ao mesmo tempo, refratam aquilo que é considerado pelo sujeito. Refletem na medida em que, necessariamente, representam a construção de sentidos acerca do mundo; refratam porque o dizer é, em qualquer situação, um recorte que compõe e recompõe, significa e ressignifica a realidade de modo singular e sem a garantia de apreender o todo.

Nessa perspectiva, a língua é constitutiva do sujeito não só porque, no contexto das relações dialógicas, ele se coloca na corrente comunicativa que dá sentido à vida humana (o nascimento social para além do nascimento físico), como também porque, ao ingressar nessa esfera, ele assume papéis e responsabilidades perante o outro. Em outras palavras, como explica Geraldi (1993, 2009), ninguém sai ileso da relação interlocutiva; as pessoas ficam, necessariamente, marcadas pelo que dizem ou escutam, pelo que leem ou escrevem.

Conceber a língua pela sua possibilidade de interação, construção e negociação de ideias significa que não há um sistema fechado, regido por um conjunto de regras, que paira acima e independentemente dos falantes (como quer o objetivismo abstrato), ou que se cristaliza na habilidade de um "sujeito modelo" capaz de produzir a "língua desejável e verdadeira" (como postula o subjetivismo idealista). Muito pelo contrário, como sistema vivo e dialógico, ela se concretiza a cada manifestação discursiva em função de determinados contextos, propósitos comunicativos e interlocutores. Pela leitura eu posso, por exemplo, restabelecer contato com Guimarães Rosa ou Monteiro Lobato e, por essas vias, até compensar (ou ressignificar) as condições de distância física ou temporal. Ao falar ou escrever, ler e escutar, o sujeito é convidado a considerar o outro, estabelecendo, pelos laços de adesão, compreensão, questionamento ou contraposição e embate, uma ativa postura de interlocução. Por isso, a aprendizagem da língua escrita, mais do que a assimilação de um sistema fechado, potencializa a construção dos modos de ser, de se colocar no mundo e de com ele interagir (Coelho, 2009; Colello, 2012, 2017a e b; Frigo e Colello, 2018; Geraldi, 1993, 2009; Goulart, Gontijo e Ferreira, 2017; Lucas e Colello, 2020; Silva, Ferreira e Mortatti, 2014).

Nessa perspectiva, a produção textual e a condição de autoria merecem ser compreendidas com base em três conceitos básicos de Bakhtin: polifonia, dialogia e responsividade (Faraco, 2005, 2009; Brait, 2005). O primeiro reconhece a linguagem em um universo plural de discursos que habitam determinado circuito; é o que Bakhtin (1992) chamava de "simpósio universal". Essa condição explica a natureza paradoxal da produção linguística: por um lado, não existe manifestação inédita, autônoma e independente do universo discursivo; por outro, as construções orais ou textuais não se configuram como meras reproduções do que já foi posto, o que, necessariamente, garante um caráter singular e criativo ao discurso. Nas palavras de Bakhtin (1992, p. 408),

> um enunciado nunca é somente reflexo ou expressão de algo já existente, dado e concluído. Um enunciado sempre cria algo que nunca havia existido, algo absolutamente novo e irrepetível [...]. Porém o criado sempre se cria do dado (a língua, um fenômeno observado, um sentimento vivido, um sujeito falante, o concluído por uma visão de mundo etc.). Todo dado se transforma no criado.

Assim,

> O sujeito tem [...] a possibilidade de singularizar-se, de singularizar o seu discurso [...] na interação viva com as vozes sociais. Autorar, nessa perspectiva, é orientar-se na atmosfera heteroglóssica, é assumir uma posição estratégica no contexto da circulação e da guerra das vozes sociais; é explorar o potencial de tensão criativa da heteroglossia; é trabalhar nas fronteiras. (Faraco, 2009, p. 87)

Na prática, isso significa que a construção de um texto requer certa compreensão do mundo e, ao mesmo tempo, abre a perspectiva para ressignificá-lo (Colello, 2015, 2017a). Ao escrever, o sujeito-autor transita no universo linguístico, considera e filtra uma pluralidade de posturas, ideias ou argumentos para transformar as "palavras alheias" em "suas próprias palavras".

A dialogia, por sua vez, diz respeito ao encadeamento discursivo. Como não há uma primeira nem uma última palavra, como o discurso parte do simpósio universal e a ele acaba retornando, todo enunciado nada mais é do que um elo que perpetua o diálogo entre os seres humanos, recriando-o e dando-lhe continuidade. Em consequência, o autorar pressupõe a possibilidade de se orientar em um universo heteroglóssico (as muitas vozes e linguagens) e ideológico (os muitos valores) para assumir uma posição estratégica no contexto dos discursos sociais. Isso significa que "quanto mais forte, mais bem organizada e diferenciada for a coletividade no interior da qual o indivíduo se orienta, mais distinto e complexo será seu interior" (Bakhtin, 1988, p. 115). Tal constatação reforça o princípio educativo de uma escola que possa não só transmitir conteúdos, como também ampliar e organizar o universo-referência de seus alunos (Colello, 2015, 2017a).

Finalmente, o conceito de responsividade, do original *otvetsennost* – ora traduzido como a atitude de responder, ora como postura de se responsabilizar –, merece ser compreendido como "responder responsavelmente", ou seja, admitindo que toda palavra requer e, ao mesmo tempo, remete a uma reação do outro. Toda palavra dita ou escrita pede para ser ouvida ou lida; toda palavra dirige-se a alguém e pede uma contrapalavra. O enunciado é, assim, "uma espécie de ponte lançada entre mim e os outros. Se ela se apoia em mim em uma extremidade, na outra apoia-se sobre o interlocutor" (Bakhtin, 1988, p. 113). A presença do outro (o que se sabe sobre ele, os conhecimentos com ele partilhados, a intenção de informá-lo, convencê-lo ou transformá-lo, a expectativa diante de suas formas de recepção e de reação etc.), ainda que distante no tempo e espaço, já está posta em qualquer produção linguística como dimensão intrínseca ao dizer. Na produção textual, essa construção de sentido "feita a dois" (o eu para mim, o eu para o outro, o outro para mim, o eu contra o outro) exige do autor (e, certamente, do aluno que se alfabetiza) um constante esforço de deslocamento de si (Colello, 2015, 2017a).

Os conceitos de polifonia, dialogia e responsividade, inerentes à concepção discursiva de linguagem, desestabilizaram a postura monológica que tão frequentemente sustentou (e ainda sustenta) princípios e metodologias de ensino, pondo fim às práticas mecanicistas e artificiais da língua na escola — sejam aquelas centradas nos processos de codificação e decodificação, sejam as que, ao incentivar a produção individual da escrita, desconsideram o interlocutor, o contexto de produção e o propósito comunicativo.

Mais que isso, a oposição entre as abordagens monológicas e dialógicas no ensino da língua permitiu a distinção de diferentes sentidos da aprendizagem no processo de alfabetização. Por um lado, a escrita como vivência, marcada tradicionalmente pelo ativismo pedagógico, constituindo-se como preenchimento de espaço ou como mero cumprimento de tarefas; por outro lado, a escrita como experiência transformadora de quem se aventura a dizer, constituindo-se como sujeito interlocutivo e socialmente participante do mundo letrado (Coelho, 2009; Goulart, Gontijo e Fereira, 2017; Geraldi, 2014;

Rocha e Val, 2003; Smolka, 1995; Zaccur, 1999). Entre a escrita exclusivamente para a escola e a escrita para a vida (Colello, 2012, 2017; Kramer, 1999; Geraldi, 1993), fica o desafio de formar o usuário da língua, o sujeito-autor, senhor de sua própria palavra.

Na consideração desses desafios e das implicações da concepção discursiva de língua para o ensino, vale reproduzir um quadro já publicado em outras oportunidades (Colello, 2017a, 2019; Luiz e Colello, 2020), tendo em vista o seu valor explicativo, que, simultaneamente, detalha e sintetiza a relação entre postulados bakhtinianos e práticas de ensino:

QUADRO 1 – CONCEPÇÃO DISCURSIVA DA LÍNGUA E IMPLICAÇÕES PEDAGÓGICAS

Concepção discursiva da língua	Implicações pedagógicas e princípios do ensino da língua
A língua é vida porque as práticas de comunicação e de interação dão sentido à existência tipicamente humana.	Ensino integrado à vida: a ação docente pautada por práticas interativas e pelos propósitos de situações comunicativas efetivas.
A língua medeia a passagem do plano sensível (apreensão intuitiva do mundo) para o plano inteligível (a elaboração que atribui sentido ao mundo). Ela é, assim, constitutiva do ser humano. Por meio dela, o indivíduo se integra na corrente comunicativa de seu mundo e apreende sentidos, assumindo papéis sociais e gerando a própria consciência.	• Ensino da língua como um direito de todos, voltado para a formação humana e para a inserção social do sujeito. • Ensino da língua como processo de construção de mundo e da realidade plural da existência humana. • Aprendizagem da língua como processo reflexivo e como mecanismo de geração da consciência em um contexto de valores.
A língua tem vida, o que caracteriza seu progressivo processo de mudança. Os eventos linguísticos existem no bojo de um contexto específico, sendo marcados pelo jogo de valores e tensões entre o dito, o não dito e o respondido. São, portanto, únicos e irrepetíveis.	• Inviabilidade de conteúdos fixos, neutros e independentes dos contextos de produção: práticas de ensino necessariamente contextualizadas. • Ensino voltado não para o domínio do sistema fonético e gramatical, mas para o trabalho linguístico que constrói e reconstrói a língua com base em processos reflexivos e posturas críticas.

	• Ensino da língua como prática para a conscientização de valores e de significados assumidos no mundo: alfabetização como prática política.
A língua só existe em função de situações comunicativas. Ler e escrever, entendidas como propostas de negociação de sentidos, nunca são atividades solitárias, já que pressupõem a interação com um outro.	• Ensino calcado nas dinâmicas de escuta do professor, na interação entre os alunos e na possibilidade de construção conjunta de estratégias de produção e de interpretação. • Importância de se respeitar a intenção discursiva dos alunos e fortalecer suas posturas responsivas.
A língua como processo dialógico; a produção linguística não parte de si nem se esgota em si, já que toda palavra tem uma contrapalavra.	Aprendizagem da língua entendida como meta em longo prazo, pautada pelo efetivo exercício linguístico: resgate de ideias prévias ou de campos de referência no universo letrado; confronto de posições; escuta de múltiplas vozes; construção de estratégias de produção e de interpretação; inserção do sujeito no contexto da cultura escrita e acesso aos diferentes campos das atividades humanas (ensino da língua articulado ao conhecimento de mundo).
O enunciado é a unidade significativa da língua.	Ensino direcionado das reflexões epilinguísticas, geradas a partir da leitura do texto, para as reflexões metalinguísticas, evitando o uso de palavras soltas e de frases descontextualizadas (exercícios mecânicos de soletração, ortografia e fixação das normas gramaticais).

A língua como conjunto de modalidades integradas: a fala e a escuta, a escrita e a leitura, todas associadas aos elementos extraverbais.	• Articulação das propostas de trabalho aos diferentes canais e tecnologias da comunicação, às diferentes línguas e práticas letradas. • Necessidade de se promover o trânsito e a relação entre modalidades e práticas linguísticas.
As práticas linguísticas pressupõem um posicionamento interlocutivo no qual o sujeito é constantemente convidado a deslocar-se de si para compreender o outro, a língua e a própria realidade.	• Ensino dado pelo processo de desestabilização do sujeito: a constante necessidade de considerar outros pontos de vista, outros saberes, outras formas de se expressar, outras formas de conceber e lidar com o mundo. • Aprendizagem como processo construtivo, movido pela constante descentração do sujeito.
A legitimidade de todas as línguas no contexto histórico e social de suas práticas.	• Reconhecimento e respeito às diferentes línguas, aos falantes e à diversidade cultural. • Fim das práticas de discriminação e imposição linguística.
A produção linguística só pode ser compreendida em uma perspectiva multidimensional e multifuncional. No contexto polifônico, a língua é necessariamente plural.	• Interesse em considerar a dimensão social da língua nas práticas pedagógicas: condições, processos, estratégias e modos de produção. • Necessidade de se promover na escola experiências do aluno com diversidade de suportes, tipos textuais, gêneros e formas de enunciação. • Ensino da língua escrita pautado pelas múltiplas possibilidades de dizer e de interpretar.
A manifestação linguística, como recurso de expressão e de poder, tem um significado essencialmente político.	• Docência como exercício de resistência às forças domesticadoras. • Ensino como prática política de luta pela sociedade democrática.

Com base no quadro, ficam evidentes os difíceis (mas necessários) desafios dos professores: partilhar, em sala de aula, possibilidades de produzir e interpretar; ampliar repertórios temáticos e linguísticos; explorar a riqueza da língua nas suas infinitas possibilidades do dizer; refletir sobre os modos de funcionamento da escrita, chegando à consciência metalinguística; promover a aprendizagem em consonância com as práticas sociais; aproximar a escola da vida; respeitar diferenças individuais e, ao mesmo tempo, levar em conta as especificidades socioculturais; considerar pontos de vista e, sobretudo, viabilizar a formação da consciência e a constituição da pessoa com base em princípios éticos.

Nessa perspectiva, a concepção da linguagem discursiva postulada por Bakhtin supera a dimensão específica do ensino para se constituir como um verdadeiro desafio educativo na construção de uma sociedade mais justa:

> Vivendo em um mundo pesadamente monológico, Bakhtin foi muito além da filosofia das relações dialógicas criadas por ele e por seu Círculo e se pôs a sonhar também com a possibilidade de um mundo polifônico, [...] radicalmente democrático, pluralista, de vozes equipolentes, em que, dizendo de modo simples, nenhum ser humano é reificado; nenhuma consciência é convertida em objeto de outra; nenhuma voz social se impõe com a última e definitiva palavra. Um mundo em que qualquer gesto centrípeto será logo corroído pelas forças vivas do riso, da carnavalização, da polêmica, da paródia, da ironia. (Faraco, 2009, p. 79)

Não deveria o sonho de Bakhtin ser o sonho e a meta de todos os educadores?

5. Concepções de leitura e suas implicações pedagógicas[8]

Ao retomar as concepções de língua apresentadas no capítulo anterior, temos, agora, o objetivo de enfocar mais diretamente a leitura, discutindo um suposto dilema: de um lado, postulamos que ler implica (re)construir significados e sentidos; de outro, assumimos que a leitura não pode ficar à mercê de qualquer interpretação.

CONCEPÇÕES DE LEITURA NA PRÁTICA PEDAGÓGICA

Em face do quadro de analfabetismo no Brasil (IBGE[9]) e dos persistentes índices de baixo letramento em nossa sociedade (Indicador de Alfabetismo Funcional, Inaf[10]), o ensino da língua escrita aparece como um dos objetivos mais relevantes da educação. Por isso, o projeto de uma escola que atenda às demandas sociais e às necessidades pedagógicas passa necessariamente pela revisão de concepções e práticas de ensino. Afinal, compreender o "o que ensinar" é decisivo para o "como ensinar". Mais do que isso, o entendimento sobre a natureza da escrita e os procedimentos de leitura permitem vislumbrar os vícios das práticas pedagógicas e a lógica do fracasso escolar, aspectos que, de tão arraigados na tradição do ensino, nem sempre são evidentes para os educadores.

A este respeito, é curioso observar que diferentes concepções historicamente constituídas sobre a leitura (Capello, 2009; Colello, 2011; Frigo e Colello, 2018; Geraldi, 1993, 2014; Luiz e Colello, 2020; Micotti, 2012; Rojo,

8. Texto originalmente publicado na revista *International Studies on Law and Education*, n. 5, jan.-jun. 2010 e atualizado para a publicação da obra *Formação de professores, pais e alunos* (São Paulo: Kapenke, 2020). Aqui, o texto foi mais uma vez atualizado e reconfigurado para se justificar na relação com os demais capítulos da obra.
9. IBGE Educa – Conheça o Brasil: educação. Disponível em: <https://educa.ibge.gov.br/jovens/conheca-o-brasil/populacao/18317-educacao.html>. Acesso em: 28 dez. 2020.
10. Indicador de Alfabetismo Funcional. Instituto Paulo Monte Negro/Ação Educativa. Disponível em: <https://ipm.org.br/inaf>. Acesso em: 28 dez. 2020.

2001; Siqueira, 2018; Siqueira e Colello, 2020; Zilberman e Rösing, 2009) coexistem na escola, criando um cenário de imprecisão de objetivos, ineficiência das práticas de planejamento e avaliação, desajustamento metodológico, insegurança dos professores, desequilíbrio do projeto educativo e incerteza quanto aos resultados. O fenômeno do analfabetismo funcional é um exemplo de que, para além dos fatores de ordem sociocultural e política que explicam as desigualdades no processo de aprendizagem, é preciso considerar a precariedade do sistema de ensino. Isso porque, mesmo para aqueles que têm acesso à educação básica, não se pode garantir a competência leitora no contexto das práticas sociais.

Assim, importa questionar: quais são as concepções de leitura que hoje influenciam as práticas pedagógicas? O que ensinamos quando ensinamos a ler? Como transformar o ensino da língua em uma prática a serviço da efetiva formação de leitores?

Na forma clássica e ainda bastante usual, a leitura é compreendida como a decifração de um código, isto é, um processo perceptual que permite a associação de termo a termo entre grafemas (letras) e fonemas (sons). Dessa forma, a ênfase do ensino recai sobre a natureza fonética do sistema; a soletração e a silabação como estratégias básicas do decifrar; a leitura em voz alta visando à fluência e à rapidez na decodificação; os exercícios de gramática e de ortografia em nome da "escrita correta" e da "norma culta" (Dias, 2011; Vidal, 2021; Vidal e Colello, 2020); assim como a aplicação das regras de pontuação que, supostamente, se prestam apenas para a entonação do leitor ou para o atendimento das normas gramaticais, sem necessariamente considerar a organização interna do texto na sua montagem discursiva (Gozzi, 2017).

Em uma versão menos centrada nas letras ou nas palavras, a leitura costuma também ser compreendida como a expressão de uma ideia fixada no texto. Para a maioria das pessoas, ler significa apreender a informação transmitida pelo autor. Como a mensagem está aprisionada de modo inflexível na escrita, as práticas pedagógicas aparecem centradas nos exercícios de interpretação na forma de uma única leitura possível: aquela que recupera a intenção registrada pelo autor.

Em comum, as duas concepções estão alicerçadas na crença da imobilidade linguística – a rigidez textual e a natureza monológica da informação objetivamente registrada pelo autor. O apelo para "uma única leitura possível" exclui o leitor de um envolvimento mais ativo do sujeito – que, de fato, permanece à margem do processo comunicativo. Por isso, desde os primeiros anos escolares, o aluno vai sendo convencido de que não faz parte do que a escola pretende ensinar ou do que é oferecido pelos professores; seu papel é apenas o de captar informações fechadas em si mesmas. Nas palavras de Zilberman (2009, p. 30),

> com a incumbência de ensinar a ler, a escola tem interpretado essa tarefa de um modo mecânico. [...] Porém, a ação implícita no verbo em causa não torna nítido seu objeto direto: ler, mas ler o quê? Desta maneira, o sentido da leitura nem sempre se esclarece para o aluno que é beneficiário dela. Por conseguinte, mesmo aprendendo a ler e conservando essa habilidade, a criança não se converte necessariamente em um leitor [...].

De fato, para muitas crianças (sobretudo as de classes menos privilegiadas, que tiveram menos acesso à literatura ou às experiências letradas), as razões para a aprendizagem de língua aparecem vinculadas a objetivos estritamente escolares (passar de ano, fazer lições etc.) ou projetadas em longo prazo (conseguir um emprego, passar em um concurso, entrar na faculdade etc.); em síntese, a língua raramente é tomada pelo seu valor em si ou pelo seu poder de gozo e encantamento. Isso justifica a baixa motivação e até a frágil disponibilidade de se constituírem como efetivos leitores e usuários da língua.

A oposição que aqui se coloca – ensinar a ler *versus* formar o sujeito leitor – evidencia o desencontro entre treinar habilidades e garantir o acesso à leitura como mecanismo de constituição da pessoa (a leitura como uma forma de ser e de viver no contexto da sociedade letrada). Nessa perspectiva, coloca-se em xeque uma escola que muitas vezes falha mesmo quando é supostamente bem-sucedida, já que a aprendizagem da leitura, na dimensão mecânica e monológica, está longe de atender aos propósitos educativos da formação humana.

Com base nos postulados de Bakhtin (1988, 2003), inaugura-se, como vimos no capítulo anterior, outra concepção de língua (e consequentemente de leitura) – que, superando a dimensão monológica da escrita, tem o mérito de recuperar a natureza essencialmente dialógica da leitura, isto é, um processo interativo instituído pelo encontro de pessoas (o autor, o leitor, os personagens e as múltiplas vozes que eles representam), o qual incide sobre a construção e reconstrução de significados. Trata-se de uma operação ativa que não só constitui as pessoas como dá vida à própria linguagem (Geraldi, 1993, 2009).

Como não há uma língua pronta (objetivismo abstrato) nem um sujeito predeterminado que incorpora a língua (subjetivismo idealista), a leitura se processa dialogicamente em um contexto histórico e social, a partir do qual o sujeito é obrigado a lançar mão de motivações, conhecimentos prévios, experiências de vida, vozes sociais, reconhecimentos e desconhecimentos, contrapalavras, valores e antecipações, preenchendo lacunas e buscando respostas pela construção de interpretações possíveis. Para além da decifração, a leitura é um ato de cognição que implica e, ao mesmo tempo, pressupõe certo posicionamento no mundo. Não existe uma leitura prefixada no texto; não existe uma leitura neutra e independente de contextos ou das especificidades dos leitores. Na leitura – entendida como encontro privilegiado entre o eu e o tu –, o sujeito jamais vem ao texto de mãos vazias e jamais sai ileso dessa relação (Geraldi, 2009). Trata-se, portanto, de um trabalho criativo de produção linguística e transformação de si, feita por um sujeito discursivo que põe em cena certa forma de compreender a realidade, dando continuidade ao eterno diálogo travado entre os seres humanos.

Na prática pedagógica, conceber a leitura como negociação de sentidos, feita por um indivíduo de modo singular e necessariamente contextualizado pelo tempo e espaço, permite vislumbrar as múltiplas interpretações possíveis com base em um mesmo material escrito. De fato, temos de admitir que um texto não será o mesmo para diferentes leitores nem para determinado leitor em diferentes momentos. Em cada caso, é preciso levar em conta a interferência dos saberes prévios, dos interesses e expectativas do sujeito no processamento da leitura. Isso explica por que até mesmo os leitores mais experientes não são necessariamente bons leitores em todos os textos. Como a leitura não é pura decodificação, ler um texto sobre um assunto familiar é diferente de ler um texto sobre algo desconhecido. A consequência direta de tal constatação é que não existe leitura (tampouco ensino da leitura) dissociada dos processos de conhecimento do mundo. Nas palavras de Geraldi (2014, p. 215), "a profundidade de penetração da leitura depende das categorias, da bagagem que traz o leitor ao oferecer ao texto que lê as suas contrapalavras". E isso depende de seus conhecimentos ou de sua experiência de vida.

CAMINHOS DA INTERPRETAÇÃO TEXTUAL E PARADOXO DA CONDIÇÃO LEITORA

A distância entre a pura decodificação e a construção de sentidos no jogo responsivo de contrapalavras pode ser vivenciada pela leitura do texto a seguir. Experimente essa leitura e interprete o texto se for capaz:

> Com gemas para financiá-lo, nosso herói desafiou valentemente todos os risos desdenhosos que tentaram dissuadi-lo de seu plano. "Os olhos enganam", disse ele. "Que tal substituir a teoria da mesa pela teoria do ovo?" Então as três irmãs fortes e resolutas saíram à procura de provas, abrindo o caminho, às vezes através de imensidões tranquilas, mas amiúde através de altos e baixos turbulentos. Os dias se tornaram semanas, enquanto os indecisos espalhavam rumores apavorantes a respeito da beira. Finalmente, sem saber de onde, criaturas aladas e bem-vindas apareceram anunciando um sucesso prodigioso. (Kleiman, 1997, p. 21)

Afinal, do que fala o texto? Quem é o herói? Qual era o seu plano? Quem são as irmãs fortes e resolutas? Qual era o sucesso prodigioso?

Embora a maioria dos leitores seja capaz de reconhecer a língua do texto, discriminar as letras, interpretar adequadamente o sentido da pontuação, compreender a progressão temática e até identificar o gênero do texto em questão, poucos são os que conseguem extrair dele significados ou informações objetivas para responder às questões mais básicas a seu respeito. O que falta é a contextualização do texto em um referencial semântico que lhe dê sentido. Toda a dificuldade interpretativa desaparece quando conhecemos o título do texto: "A viagem de Colombo". Com base nessa informação, rapidamente o herói, o plano, as irmãs e o sucesso prodigioso são respectivamente identificados como Colombo, o projeto de provar que a Terra é redonda, as caravelas Santa Maria, Pinta e Nina e a façanha de encontrar terras desconhecidas.

A contextualização das informações do texto permite ao leitor lançar mão de conhecimentos compartilhados socialmente e, assim, "preencher as lacunas" implícitas na escrita. Isso comprova a inexistência de um texto autônomo e autoevidente (dependente da interpretação objetiva do que foi impresso no papel, o "preto no branco"), mas uma situação relacional que se coloca no encontro entre autor e leitor: o texto necessariamente como um convite à construção de sentidos, tomando por base o aporte de outros discursos, textos e conhecimentos. Na mesma linha de raciocínio, Zilberman (2009, p. 33) afirma que

> [...] o ato de ler se configura como uma relação privilegiada com o real, já que engloba tanto um convívio com a linguagem, quanto o exercício hermenêutico de interpretação dos significados ocultos que o texto enigmático suscita [...]. Sendo uma imagem simbólica do mundo que se deseja conhecer, ela nunca se dá de maneira completa e fechada; ao contrário, sua estrutura, marcada pelos vazios e pelo inacabamento das situações e das figuras propostas, reclama a intervenção de um leitor, o qual preenche essas lacunas, dando vida ao mundo formulado pelo escritor. Desse modo, à tarefa de deciframento implanta-se outra: a de preenchimento, executada particularmente por cada leitor, imiscuindo suas vivências e imaginação.

Para além da interpretação processada com base nos conhecimentos compartilhados, outros fatores, como a imaginação, as vivências do leitor e os interesses mais imediatos podem interferir na construção de sentidos do texto. Independentemente das intenções do autor e das interpretações por ele previstas, outras leituras poderiam ser feitas ancoradas nas motivações do leitor. Nessa perspectiva, é curioso admitir que a intenção do autor não necessariamente se reproduz na construção de significados do leitor.

Que outras interpretações seriam possíveis no texto de Colombo e como elas poderiam transformar a sua compreensão?

Recentemente, em uma classe de adolescentes, um aluno interpretou o mesmo texto como a "história de uma transa que deu certo". Nessa leitura, conforme as palavras do menino, o herói era "um cara conversando com os amigos que o subestimavam". O plano de substituir a teoria da mesa pela teoria do ovo era "a aposta entre eles de ganhar uma menina", isto é, "trocar a situação do bate-papo no barzinho (a mesa) pela transa que chega aos finalmentes (a relação sexual que permite fecundar o óvulo)". As três irmãs fortes e resolutas são "as três espermatozoidas que procuram efetivar a aposta". "Mas só três?", pergunto eu. "Claro, cada um dá o que tem!", responde prontamente o aluno. "As imensidões tranquilas são a paz pós-amor e os altos e baixos turbulentos... bem, preciso até explicar o que é isso, professora?" "A beira é o buraco por onde tudo se esvai quando o espermatozoide não foi fecundado." "Criaturas aladas são os anjos que dão origem à vida (ou será uma alusão à cegonha?), e o sucesso prodigioso é a confirmação da gravidez, prova de que o cara conseguiu ganhar a menina e a aposta."

Embora incongruente com o texto original, o que temos aqui é, sem dúvida, uma interpretação (um legítimo esforço de negociar significados) que se propõe como esforço cognitivo fundamentado, certamente motivado por interesses ou referências de mundo pessoais. Afinal, como se sabe, o interesse dos adolescentes pelo tema da sexualidade é muito comum.

IMPLICAÇÕES PEDAGÓGICAS

Em ambas as interpretações – a viagem de Colombo ou a transa que deu certo –, o exemplo não só permite aprofundar a compreensão sobre os mecanismos da leitura na (re)construção de ideias, como também problematizar a operacionalização deles nas práticas de ensino.

No que diz respeito ao primeiro aspecto, vale recuperar a concepção de Bakhtin (1988, 1992), para quem a compreensão de um texto se faz tanto pelas relações internas das unidades frásicas e interfrásicas que permitem a construção do significado, como pela dimensão externa ao texto, dada pelas relações dialógicas, interdiscursivas e intertextuais a partir das quais o leitor produz sentidos singulares. São, portanto, dois aspectos que, segundo Geraldi (1993, 2009) merecem ser considerados: o trabalho do autor na construção da sua obra e o trabalho do leitor que, ao ler o texto, constrói a "sua sabedoria" (linguística e temática). Como um bordado artesanal, a leitura se processa por diferentes fios (Colello, 2014) em cuja tecedura (um verdadeiro trabalho com e pela linguagem) são construídos, dialogicamente, os diferentes sentidos a partir de "o que se tem a dizer" e das "estratégias do dizer":

> O produto do trabalho de produção se oferece ao leitor e nele se realiza a cada leitura, num processo dialógico cuja trama toma as pontas dos fios do bordado tecido para tecer sempre o mesmo e outro bordado, pois as mãos que agora tecem trazem e traçam outra história. Não são mãos amarradas – se o fossem, a leitura seria reconhecimento de sentidos e não produção de sentidos; não são mãos livres que produzem o seu bordado apenas com os fios que trazem nas veias de sua história – se o fossem, a leitura seria um outro bordado que se sobrepõe ao bordado que se lê, ocultando-o, apagan-

> do-o, substituindo-o. São mãos carregadas de fios, que retomam e tomam os fios que, no que se disse pelas estratégias de dizer, se oferece para a tecedura do mesmo e outro bordado. (Geraldi, 1993, p. 166)

Com base nesse trabalho balizado por duas perspectivas de operacionalização (nem totalmente amarrado nem totalmente livre), o ensino dos mecanismos de interpretação precisa lidar com o paradoxo das muitas leituras possíveis. Vamos aceitar que "A viagem de Colombo" possa ser lida como "A história de uma transa que deu certo"? Se na leitura é possível "tecer sempre o mesmo e outro bordado", vamos ensinar e promover qualquer leitura? Qual é a justa medida entre o reconhecimento dos significados e a produção de novos sentidos? Como garantir que a dimensão construtiva e dialógica do ler não se transforme no ocultamento do texto ou na sua transfiguração? Como a formação do leitor pode promover a negociação de sentidos pelo equilíbrio entre os aspectos internos e externos ao texto?

O enfrentamento dessa problemática parece fundamental não só porque fortalece a compreensão da leitura como atividade dialógica de produção de sentidos (e, em contrapartida, favorece a ruptura com as concepções mecanicistas e monológicas da escrita na escola), como também para que se possa evitar assimilações deturpadas que, não raro, instituem a prática de ensino como um *laissez-faire* pedagógico.

> Os que pensam a leitura como a perquirição da *intentio lectoris* afirmam que o sentido não está no texto, mas é o leitor quem lhe atribui significado. Levemos essa ideia ao limite. Se é verdade que o texto não tem sentido, não existe texto do outro no mundo, mas só o meu texto, dado que coloco no texto do outro minha interpretação. Só uma sociedade que levou ao extremo os ideais de individualismo e subjetividade poderia imaginar que o outro não existe no mundo, pois, se ele não existe como posição discursiva, ele inexiste para mim. (Fiorin, 2009, p. 48)

Com base nessa argumentação, vale dizer que ensinar a ler não é estimular qualquer interpretação do leitor, mas instituir um verdadeiro diálogo de negociação de sentidos com base nos indícios do texto. Afinal, as mesmas razões que deslocam o autor como fonte única da informação deslocam o leitor como fonte autônoma na geração de sentidos (Geraldi, 1993). A leitura se processa no delicado estabelecimento de relações entre os elementos internos do texto e as conexões discursivas processadas pelo leitor nos limites das possíveis atribuições de sentidos. Por isso, ler pressupõe a habilidade de se mover em um espaço intertextual que permite a criação de vínculos entre o texto em questão e todos os outros discursos por ele implícitos, implicados e transformados. Daí a dimensão simultaneamente criativa e respeitosa que torna possível a (re)construção de sentidos. Interpretar significa, portanto, descobrir as e transitar nas virtualidades e nas ancoragens textuais impressas na obra. As muitas leituras possíveis de um texto não significam quaisquer leituras nem leituras que transfiguram o que está escrito, embora elas possam significar também um enriquecimento dialógico do próprio texto (Fiorin, 2009).

A negociação de sentidos é, por si só, educativa e merece ser fortalecida na sala de aula pela relação dialógica e reflexiva entre professores e alunos – relação esta que valoriza a escuta do sujeito aprendiz sem desconsiderar o papel do professor. Tal diretriz modifica a prática do docente que, tradicionalmente, centralizava as ações em sala de aula e detinha a palavra final sobre o "certo" e o "errado" (modelo empirista de aprendizagem). Quando o ensino da língua é compreendido como prática de comunicação, construção, desconstrução e reconstrução de significados e sentidos, instaura-se uma relação discursiva entre professores e alunos. Acolher a palavra do outro (ou a sua leitura) significa considerar sua existência e viabilidade.

Nessa perspectiva, ainda que se tenha de descartar a "História de uma transa que deu certo", não podemos negar o potencial pedagógico dessa versão, isto é, o foco privilegiado de debate sobre as possibilidades de leitura em sala de aula. A "história de uma transa que deu certo" não é mero delírio interpretativo a ser imediatamente rejeitado ou corrigido (eventualmente até punido), mas um convite especial à consideração das ancoragens do texto. Em outras palavras, vale a pena discutir com o grupo de alunos: por que essa interpretação do texto se sustenta ou não se sustenta?

É nesse trabalho com o texto e sobre o texto que se ampliam as possibilidades "do dizer e do interpretar", mas também do "como dizer e do como interpretar". Assim, os "descaminhos interpretativos" não são desatados por um "decreto" do professor que impõe a sua verdade, mas pela negociação de ideias e pelo aprofundamento na compreensão do funcionamento da língua.

Ao criticar as práticas monológicas de leitura, Capello (2009, p. 183-184) propõe que as práticas de ensino operem em um duplo sentido: o alargamento das expectativas do aluno e a construção de conexões mentais na geração de sentidos.

> Eis o erro do professor: querer impor um caminho em vez de partilhar as possibilidades. É justamente nisso que consiste o exercício de desenvolvimento da leitura – verificar em que medida a leitura do outro é uma possibilidade que se vem agregar à minha leitura, que, por sua vez, completa uma terceira, e assim por diante. Ao abrir, para o aluno, o caminho para a partilha de leituras múltiplas, desenvolve-se sua habilidade de leitura plena e, a reboque, pode-se conquistá-lo como leitor. Em vez de torcer o nariz para os livros porque "eu nunca acerto o que o professor pergunta do texto", nosso aluno passa a ter confiança em seu poder de compreensão e vai avançando cada vez mais.

A instituição da perspectiva discursiva no ensino da língua (Colello, 2011; Frigo e Colello, 2018; Goulart, Gontijo e Ferreira, 2017; Luiz e Colello, 2020) e do diálogo na sala de aula (particularmente, no ensino da leitura) transforma a lógica da vida escolar porque, em vez de responder ao previamente fixado, o trabalho linguístico se faz pelo envolvimento do sujeito em práticas que articulam produção, leitura e reflexão (Geraldi, 1993, 2014). Assim, ensinar a ler não é transmitir conhecimentos, mas viabilizar o trabalho com a e pela língua. Se o papel da escola é ampliar a relação do sujeito com a língua escrita, é preciso dar voz ao aluno e tecer – a partir de sua fala, leitura ou interpretação – as negociações para a construção de sentidos, um processo interativo e dialógico que não deixa de ser um modo de se constituir e recriar o mundo.

6. Alfabetização, letramento e as implicações do alfabetizar letrando

Um professor pergunta ao aluno:
– Arroz é com S ou com Z?
O aluno responde:
– Aqui na escola eu não sei, mas
lá em casa é com feijão.

De modo irônico, o episódio faz uma crítica ao distanciamento entre as práticas sociais e escolares – distanciamento este que compromete o sentido do aprender. Critica a língua como um sistema autônomo (independente das condições de produção); a assimilação mecânica do conhecimento; e, sobretudo, evidencia o estranhamento dos alunos que não conseguem transpor (nem ao menos vislumbrar essa possibilidade) a fronteira que separa os conteúdos e exigências da escola da vida cotidiana.

Trata-se de uma denúncia que, já no final do século XX, circulava nos debates educacionais e ganhou ainda mais força no célebre discurso de Paulo Freire, proferido na abertura do 15º Congresso Brasileiro de Leitura (Campinas, 1981):

> Inicialmente me parece interessante reafirmar que sempre vi a alfabetização de adultos como um ato político e um ato de conhecimento, por isso mesmo, como um ato criador. Para mim, seria impossível engajar-me num trabalho de memorização mecânica dos ba-be-bi-bo-bu, dos la-le-li-lo-lu. Daí também que não pudesse reduzir a alfabetização ao ensino puro da palavra, das sílabas ou das letras. (Freire, 1983, p. 21)

O momento histórico, marcado por mudanças tecnológicas, econômicas e sociais, com novas demandas no mercado de trabalho, era particularmente favorável à revisão das práticas escolares. Particularmente no Brasil, ao lado das exigências do mercado, a abertura política, a expansão das vagas no ensino e a luta contra o fracasso escolar clamavam a necessidade de se aproximar a escola da vida, rompendo com a tradição de um ensino fechado em si mesmo. Junte-se a esse cenário a chegada de importantes trabalhos na área da psicologia (em especial, os estudos liderados por Emília Ferreiro e as traduções de Vigotski) e das ciências linguísticas, que defendem a língua como efetivo objeto de conhecimento, e não como mero instrumento de comunicação (ou pré-requisito para a aprendizagem propriamente dita). A expansão de cursos de formação docente e de pós-graduação em Educação engrossou também o movimento de renovação do ensino, no qual a alfabetização parecia ocupar um lócus privilegiado, sobretudo em função dos altos índices de repetência nas séries iniciais.

Se antes, em face dos altíssimos índices de analfabetismo, a preocupação recaía sobre a condição social de quem não sabia ler ou escrever, a partir dos anos 1980 passou a recair também sobre o estado ou condição de quem era ou é alfabetizado (Soares, 1998): até que ponto as pessoas supostamente alfabetizadas são capazes de usar esse conhecimento no seu contexto de vida?

Dados do Indicador de Alfabetismo Funcional (Inaf) 2018 apontam que, ao lado dos 29% da população de analfabetos funcionais (8% de analfabetos absolutos e 21% com nível rudimentar de alfabetismo, isto é, sem condições de localizar informações em um texto simples), o Brasil conta hoje com apenas 12% de pessoas capazes de ler e interpretar textos mais complexos (nível proficiente de alfabetismo) – índice que pouco tem variado ao longo dos últimos 20 anos. Trata-se de uma realidade incompatível com os apelos do mercado de trabalho, com o mundo tecnológico, globalizado e com os pressupostos de uma sociedade democrática.

Considerando a contradição desse cenário, Soares (1998, 2003) explica que a emergência de novas ideias, demandas sociais ou formas de se compreender a realidade justificam o aparecimento de novas palavras. Em tradução direta do inglês *literacy*, o termo "letramento", usado pela primeira vez no Brasil por Kato (1986), só foi dicionarizado em 2001 pelo *Houaiss* (e, em Portugal, acabou sendo mais usado como "literacia"). Ele emerge em meio a debates polêmicos e nem sempre consensuais nos anos 1990 (Colello, 2004a e b, 2010; Silva e Colello, 2003) e ganha força não só para explicitar o significado do ensino da língua, como também para viabilizar a proposição de mecanismos práticos de superação dos problemas pedagógicos; mais especificamente, para superar a concepção de aprendizagem da escrita como mera aquisição do sistema e, assim, valorizar a natureza social da língua. Trata-se de um movimento rico de amadurecimento conceitual e pedagógico subsidiado pelos trabalhos de Tfouni (1995), Kleiman (1995),

Soares (1998, 2003), Leite (2001), Rojo (2001, 2009), Ribeiro (2003), Colello (2004a e b, 2010), Silva e Colello (2003), Mortatti (2004) e Arantes (2010), entre outros.

Como referência a tantos trabalhos, vale mencionar a distinção feita por Street (1984) entre os modelos autônomo e ideológico de letramento: o primeiro, próximo das práticas tipicamente escolarizadas, entende a escrita como um sistema completo em si mesmo e independente de outros aspectos, compreensível pela estrutura e significado interno dos textos; o segundo vincula a produção e interpretação textual a um dado contexto sócio-histórico que lhe dá sentido, o que põe em evidência as estruturas de poder e a dimensão ideológica das produções linguísticas.

Com a preocupação de definir os termos que circulavam nos debates educacionais com diferentes sentidos e, ainda, de estabelecer as relações entre alfabetização e letramento (incorporando aí a dimensão social e ideológica do ler e escrever), Soares (1998, p. 47) distingue dimensões da aprendizagem da língua, afirmando que o primeiro termo deve ser compreendido como "ação de ensinar/aprender a ler e escrever", e o segundo, como "estado ou condição de quem não apenas sabe ler ou escrever, mas cultiva e exerce as práticas sociais que usam a escrita".

Ao explicar a diferença, a relação e a interdependência entre alfabetização e letramento, a autora chama a atenção para o fato de que ter aprendido a ler e escrever não garante a efetiva apropriação da língua (possibilidade de torná-la um objeto próprio), tampouco a imersão no universo letrado. Valendo-se da ideia de um *continuum* de competências e habilidades, definidas conforme os padrões de cada grupo social, ela explica possibilidades de "convivência" entre alfabetização e letramento: o alfabetizado letrado (aquele que não só sabe ler e escrever como é capaz de transitar nas práticas sociais que envolvem a língua escrita, compreendendo suas funções e manifestações); o alfabetizado pouco letrado (o sujeito que domina o sistema e, eventualmente, até algumas regras, sem, contudo, fazer uso funcional dele); o analfabeto letrado (a pessoa que, mesmo sem saber ler e escrever, tem uma boa compreensão da cultura letrada, conhecendo os seus trâmites); e o analfabeto pouco letrado (aquele que não domina o sistema e, ainda, compreende de modo insuficiente as práticas de leitura e escrita de seu mundo). Note-se que, ao se referir ao sujeito "pouco letrado", Soares (1998) assume que, salvo nas sociedades ágrafas, não existe um "estágio zero" de letramento, já que a simples convivência do sujeito em uma sociedade letrada já o faz incorporar certo saber sobre o funcionamento dessa cultura.

Seja lá qual for o modo de associação de ambos os processos, fica a ideia de que a aquisição da língua, longe de ser um aprendizado escolar, pontual ou técnico, recoloca o *status* do sujeito na sociedade na medida em que interfere no seu modo de inserção e participação no mundo.

Para Colello (2010), ainda que se admita a indissociabilidade entre alfabetização e letramento, a distinção entre os dois termos tem méritos e riscos que merecem destaque.

No que diz respeito às vantagens, os trabalhos liderados por Soares permitem, em primeiro lugar, relativizar a oposição dicotômica entre alfabetizado e analfabeto, letrado e iletrado. Como essas dimensões podem conviver em diferentes níveis, fica claro que certa compreensão das práticas letradas não vem necessariamente acompanhada da efetiva possibilidade de ler e escrever; da mesma forma, o domínio do sistema nem sempre garante a possibilidade de inserção no meio letrado. Em consequência disso, não só o fenômeno do analfabetismo funcional pode ser mais bem compreendido, como também o problema do analfabetismo (antes considerado apenas pelos dados quantitativos) passa a ser reconsiderado na relação com os graus de alfabetismo da população.

Em segundo lugar, a compreensão do processo de letramento permite a reconsideração do fracasso escolar. Isso porque, como se sabe, as crianças, em função de suas experiências pré-escolares, ingressam na escola com diferentes saberes e motivações relacionados com a língua escrita. Em geral, essa diferença prejudica principalmente aquelas de classes menos privilegiadas, justamente as que tiveram menos oportunidades de vivência qualitativa com a leitura e a escrita. Para além do estágio inicial, a fragilidade das oportunidades letradas pode também afetar a continuidade do processo de alfabetização escolar e até mesmo o *status* do "alfabetizado" no período posterior à escolaridade. Tanto as pessoas que frequentam a escola como aquelas que já se formaram, uma vez apartadas das oportunidades de usufruir as práticas letradas, correm o risco de se tornar analfabetos funcionais. Isso mostra que tão importante quanto uma escola que leve em conta as práticas letradas é uma sociedade compromissada com as políticas de leitura, o acesso às informações e a democratização dos bens culturais.

Os estudos sobre o letramento contribuíram, em terceiro lugar, para a compreensão acerca da complexidade do ensino da língua, assumindo uma postura mais crítica sobre os riscos do letramento escolar – um sistema de conhecimento descontextualizado, artificial, legitimado pelo desempenho em testes (Cook-Gumperz *et al.*, 2008; Soares, 2003). De fato, em um contexto em que prevalecia uma cultura arraigada e reducionista do ensino da língua como um conjunto de regras e normas voltadas para a mera aquisição do sistema, parece fundamental mostrar o amplo impacto dessa aprendizagem: as consequências do letramento sobre o indivíduo (seu estado ou condição) ou sobre um grupo de pessoas (consequências sociais, culturais, políticas, econômicas e linguísticas). Em decorrência disso, evidenciam-se novas metas para a alfabetização, assim como a necessidade de nova postura pedagógica, que aproxime a língua, desde o início da aprendizagem, dos propósitos sociais e das esferas de uso.

Em quarto lugar, a revisão dos paradigmas de ensino da língua escrita, para além de uma intervenção meramente instrucional, trouxe implicações para a própria compreensão do projeto educativo, cada vez mais entendido como um processo de formação humana em sintonia com o mundo.

Seguindo a mesma tendência de romper com os muros que separam a escola da vida em sociedade, não por acaso, outros termos (e, por meio deles, princípios, diretrizes pedagógicas e planejamentos didáticos) – "aprendizagem por competências", "resolução de problemas", "trabalho com projetos", "metodologias ativas" e "temas transversais" – foram, no mesmo período, ganhando força nos debates educacionais, tendo como denominador comum o desafio de ensinar com base em práticas significativas e contextualizadas, em sintonia com os problemas de nosso mundo. Com o objetivo de formar o cidadão, cai por terra a tradicional meta de "preparar para a vida", impondo-se, cada vez mais, o princípio de "aprender e constituir-se vivendo a vida".

Estreitamente vinculado aos quatro aspectos levantados, vale mencionar, como mais uma contribuição, a emergência de novas pesquisas que buscam lidar com as práticas de ensino, os processos cognitivos, a superação de dificuldades no processo de aprendizagem, as iniciativas de formação docente e a organização das políticas públicas de educação (Colello, 2004a e b, 2010).

Enquanto os trabalhos sobre o letramento avançam na compreensão do tema, os críticos do letramento acenam para os riscos que esse conceito pode representar na concepção do ensino e na prática da alfabetização. Liderando essa oposição, Ferreiro (2001b, 2003, 2006, 2013) acena para o perigo de separar alfabetização e letramento:

> Há algum tempo, descobriram no Brasil que se poderia usar a expressão letramento. E o que aconteceu com a alfabetização? Virou sinônimo de decodificação. Letramento passou a ser o estar em contato com distintos tipos de texto, o compreender o que se lê. Isso é um retrocesso. Eu me nego a aceitar um período de decodificação prévio àquele em que se passa a perceber a função social do texto. Acreditar nisso é dar razão à velha consciência fonológica. (2003, p. 30)

Lutando, desde a década de 1980, para ampliar o conceito de alfabetização, a autora já entende toda e qualquer aprendizagem relacionada com a língua escrita como inserção do sujeito na cultura escrita. Para ela (2006), estar alfabetizado hoje "é poder transitar com eficiência e sem temor numa intrincada trama de práticas sociais ligadas à escrita". Assim, como aprender as letras e participar do mundo da escrita fazem parte de um mesmo processo de aprendizagem, não há razão para se distinguir alfabetização de letramento. Com essa postura, Ferreiro alerta para o considerável risco de entender a alfabetização como didatização mecânica e artificial da língua, afastando-a dos seus propósitos sociais. Em outras palavras, a crítica da autora parece incidir sobre uma única questão: por que separar dimensões da aprendizagem da escrita se o que queremos é a formação completa e integrada de um sujeito leitor e escritor?

A distinção entre alfabetização e letramento poderia trazer outros riscos (Colello, 2010), como a separação entre âmbitos de aquisição da língua (alfabetização na escola e letramento na esfera social); a separação entre momentos de aprendizagem (por exemplo, a educação infantil como promoção do letramento e o ensino fundamental com a meta de alfabetizar); a separação entre tempos de aprendizagem (alfabetização às segundas, quartas e sextas-feiras e letramento às terças e quintas); ou, ainda, a separação entre atividades pedagógicas (propostas especificamente voltadas para o letramento e exercícios voltados diretamente para a alfabetização).

Em síntese, se, de um lado, o conceito de letramento traz novas luzes sobre a compreensão de ensino da língua, desvendando dimensões do trabalho pedagógico e das metas escolares que nem todos os professores tinham olhos para ver, de outro ele ameaça a alfabetização pelo risco da implementação de práticas fragmentadas de ensino ou pelo desequilíbrio de metas que privilegiam alguns aspectos em detrimento de outros. Considerando os dois lados, o que está em pauta é, no limite entre pontos extremos, um risco duplo: a) perder a especificidade da alfabetização, confundido o ensino com o próprio exercício de uso da língua (por exemplo, a professora que traz para a sala de aula diferentes gêneros textuais em uma diversidade de práticas — como cozinhar com receitas culinárias e incentivar a contação de histórias sem se ater às particularidades da língua); b) em uma perspectiva inversa, didatizar o uso da língua, isto é, transformá-la em lições e tarefas de sistematização desarticuladas do contexto social (Colello, 2010).

Em face desse cenário de riscos, vale o questionamento: até que ponto as práticas pedagógicas, justamente em função da meta de ensinar a língua, comprometem a natureza social desta? Como conciliar, na sala de aula, os propósitos didático e comunicativo, o letramento escolar e o letramento social?

No enfrentamento dessa problemática, algumas pesquisas (Almeida, 2012; Frigo, 2020; Lucas e Colello, 2019; Siqueira, 2018; Siqueira e Colello, 2020) vêm demonstrando a dificuldade dos professores de assimilar o conceito de letramento, relacioná-lo com a alfabetização e fazer a transposição dele para as práticas pedagógicas. Em um estudo detalhado com professoras de educação infantil, Lucas e Colello (2019) mostram que, embora algumas docentes tenham conseguido absorver as ideias e incorporá-las às salas de aula, a maioria demonstra essa dificuldade traduzida em diferentes planos de assimilação: confusão terminológica entre alfabetização e letramento; reconhecimento genérico de ambos os processos sem a apreensão de suas especificidades; associação vaga da ideia de letramento à possibilidade específica de compreensão da língua; entendimento teórico dos dois conceitos sem saber como traduzi-los para situações concretas de ensino; concepção de que o letramento estaria garantido apenas pela contextualização das práticas pedagógicas ou pela relação entre as atividades escolares e as práticas cotidianas da infância. Em síntese, é possível afirmar que

> os entendimentos superficiais, incompletos, reducionistas ou deturpados mostram que os docentes nem sempre conseguem alcançar o cerne desses conceitos [alfabetização e letramento] e de suas implicações práticas. O fato de um mesmo sujeito [professor da amostra investigada] lançar mão de explicações ou de conceitos recorrentes de diferentes categorias mostra a instabilidade na apropriação do "novo", perpetuando um fazer intuitivo, no qual não há precisão conceitual, tampouco segurança no planejamento

> ou coerência nas práticas pedagógicas. Na pior das interpretações, podemos lamentar o quanto os professores ainda estão presos à cultura escolar mecanicista e à pedagogia da alfabetização no molde reducionista. Por uma via inversa, na melhor das interpretações, podemos constatar a disposição de muitos docentes em adequar o ensino à aprendizagem das crianças, motivando-as e tornando a prática pedagógica contextualizada e mais significativa. Nesse sentido, a desestabilização de concepções arraigadas e o movimento de revisão das práticas pedagógicas são, sem dúvida, indícios de que é possível transformar a escola. (Lucas e Colello, 2019, p. 103)

E transformar a escola, nesse contexto, significa enfrentar o desafio de "alfabetizar letrando" (Soares, 2003) ou "alfaletrar" (Soares, 2020), compreendido como "ensinar a ler e a escrever no contexto das práticas sociais da leitura e da escrita, de forma que os aprendizes se tornem, ao mesmo tempo, alfabetizados e letrados" (Soares, 2003, p. 47). Em outras palavras, trata-se de associar os propósitos didáticos da alfabetização (o que as pessoas devem aprender sobre o sistema de escrita e sobre as práticas letradas) à natureza linguística da escrita (a comunicação e as relações interlocutivas entre pessoas que leem ou escrevem).

A partir dos anos 2000, o termo "letramento", que desde a origem já tinha uma conotação plural (o trânsito em diversas práticas sociais de língua escrita, em diferentes esferas e por variadas vias), foi ainda mais ampliado. O termo no plural "letramentos" veio da necessidade de estender o conceito original a esferas específicas para além das letras, respeitando-se a ideia original de um saber que permitisse "transitar nas práticas sociais". Assim, nasceram os termos "letramento digital", "letramento matemático", "letramento cartográfico", "letramento científico", "letramento literário" e "letramento visual", hoje amplamente utilizados. Mais tarde, em função da possibilidade de lidar com as tecnologias, com as diversas linguagens ou meios de comunicação, surgiu o conceito de "multiletramentos", que também remete aos novos desafios de professores e de sistemas escolares, sabendo que não se trata simplesmente de incorporar as multilinguagens às práticas de ensino (uma modernidade por si só válida), mas de submetê-las aos propósitos da educação democrática, inclusiva e de qualidade (Colello, 2015, 2017a; Coll e Monereo, 2010; Geraldi, Fichtner e Benites, 2006; Gómez, 2015).

Tal profusão de terminologias, mais uma vez, traz luz e sombras aos debates pedagógicos: de um lado, a confusão entre termos mal compreendidos e assimilados; de outro, a possibilidade de dar maior visibilidade aos planos de trabalho escolar em sintonia com as práticas sociais. Nessa perspectiva, a melhor contribuição de novos termos – entendidos como a apreensão de uma ideia, o desvelar de um campo ou de uma ação não percebidos anteriormente – é o convite para a compreensão de novas realidades; uma chamada para a reflexão sobre o papel docente; um apelo para a revisão de práticas de escolares; e, sobretudo, uma intimação para o reposicionamento dos objetivos educacionais.

7. As contribuições de Piaget e Emília Ferreiro e o desafio de ajustar o ensino à aprendizagem

AS LENTES DO REFERENCIAL PIAGETIANO

As crianças costumam encantar por sua ternura; despertam simpatia pelos comportamentos imprevisíveis e graciosos. Por isso, muitas pessoas costumavam perguntar a Piaget (1896-1980) se ele gostava das crianças com quem desenvolvia suas investigações. Sem negar sua afeição, ele procurava, contudo, defender outro sentido na sua relação com elas: o respeito de quem reconhece no outro um efetivo interlocutor intelectual, um construtor do conhecimento que, desde muito cedo, trabalha ativamente para compreender o mundo que o cerca (Ferreiro, 2001a). Seu método clínico[11] procurava lidar com as crianças não com a benevolência de quem tem as respostas prontas e pretende ensinar, mas com o olhar de quem quer compreender processos cognitivos em curso e mecanismos de construção do conhecimento.

Como não são indiferentes aos objetos culturais nem esperam autorização formal para aprender, as crianças superam o mero contato direto com as coisas, assimilando-as a partir de seus significados e relações com o mundo. Por isso, as respostas infantis, em consequência de experiências estruturantes, costumam refletir hipóteses sobre o funcionamento dos objetos.

> Na experiência da criança, as situações com as quais se depara são prontamente criadas por seu ambiente social, e as coisas aparecem em contextos que lhes dão significações especiais. Não se assimilam objetos "puros". Assimilam-se situações nas quais os objetos desempenham certos papéis e não outros. (Piaget e Garcia, 1982, p. 228)

---

11. O método clínico de Jean Piaget, líder dos estudos de epistemologia genética, consistia/consiste na investigação sobre a gênese do conhecimento construída pelos sujeitos desde a primeira infância. Para tanto, ele se valia de situações-problema (ocasionais, informais ou propositalmente planejadas), observação e entrevistas, sempre buscando compreender o ponto de vista da pessoa investigada.

Para compreender esse processo, é preciso, segundo Ferreiro (2001a e b), suspender as concepções predefinidas, recuperar a curiosidade que um dia tivemos diante do desconhecido (e, lamentavelmente não somos capazes de lembrar) e, sobretudo, admitir a possibilidade de respostas inusitadas, valorizando-as como efetivo saber. Nessa perspectiva, "saber algo a respeito de certo objeto não quer dizer necessariamente saber algo socialmente aceito como 'conhecimento'. 'Saber' quer dizer ter construído alguma concepção que explica certo conjunto de fenômenos ou de objetos da realidade" (Ferreiro, 1987, p. 9).

Tal concepção é revolucionária justamente porque rompe com a lógica tipicamente escolar que, até então, pressupunha o "conhecimento socialmente instituído" como a única possibilidade de saber. De modo dicotômico, as respostas dadas pelos alunos eram consideradas "certas" ou "erradas" – em uma supervalorização do produto (o resultado acertado de uma operação, o X na alternativa correta, a resposta direta e em conformidade com o que já estava previsto pelo professor ou pelo livro didático) em detrimento do processo de aproximação do sujeito com o saber.

O grande mérito de Piaget foi colocar em evidência a natureza desse processo, que se configura como uma ativa elaboração do sujeito dada pelo "casamento entre a disponibilidade da informação externa e a possibilidade de construção interna" (Weisz e Sanchez, 2002, p. 45). Partindo de situações vividas e de concepções prévias, as crianças testam a realidade, surpreendem-se com os resultados, enfrentam verdadeiros conflitos cognitivos que as obrigam a buscar outros conhecimentos, a rever posturas e, consequentemente, a avançar no seu processo de conhecimento (Colello, 2004b, 2015). Assim, longe de ser uma aquisição puramente receptiva, linear e cumulativa, que evolui pelo somatório de informações transmitidas por um mestre detentor do conhecimento (concepção típica do modelo empirista de ensino), a aprendizagem é um processo de elaboração pessoal complexo e multifacetado; um processo operado construtivamente com base em grandes revoluções mentais. Ao longo dessa turbulenta empreitada, o sujeito costuma enfrentar múltiplos e sucessivos problemas (ou frentes de processamento cognitivo) na direção de um saber cada vez mais elaborado (Colello, 2004b, 2014; Ferreiro, 1987; Ferreiro e Teberosky, 1984, 1986; Vidal, 2021; Weisz e Sanchez, 2002).

FERREIRO: A OUSADIA DE AVANÇAR POR CAMINHOS INUSITADOS

A ousadia dos estudos liderados por Ferreiro merece ser destacada, em primeiro lugar, por romper com a discussão sobre os métodos de ensino — que, até então, ocupavam o foco dos debates sobre a alfabetização. A própria autora reconhece (2001b, p. 18, grifos do original) o impacto dessa ruptura:

> [...] naquele tempo se discutia muito sobre os métodos e travei uma guerra muito grande contra eles. [...] Ao começar a pesquisa, era necessário recolocar a discussão. Se continuássemos discutindo métodos, *não teria sido possível ressituar essa discussão* para permitir que avançasse. Então disse: "Vamos pôr os métodos entre parênteses, vamos fazer a distinção necessária entre método de ensino e processo de aprendizagem".

Em segundo lugar, há que se destacar a ousadia inovadora de quem se propõe a estudar o ponto de vista do sujeito-aprendiz, procedimento tipicamente piagetiano, embora em uma temática – a aprendizagem da escrita – nunca estudada pelo referido pesquisador. Com esse propósito, abriu-se a perspectiva de se considerar respostas infantis inesperadas e, em função delas (ao se constatar que as crianças de 6 e 7 anos já tinham um considerável conhecimento), retroceder na faixa etária das crianças investigadas inicialmente:

> [...] éramos muito ingênuas e pensávamos que podíamos encontrar a origem das ideias sobre a escrita indo interrogar crianças do primeiro ano do ensino fundamental em escolas públicas de zonas marginais. Extremamente ingênuas!, porque começamos interrogando crianças de 6 anos. Logo tivemos que baixar até os 3 anos. (Ferreiro, 2001b, p. 23)

Partindo do princípio de que "a potência de uma teoria, sua riqueza explicativa, torna-se aparente quando é possível aplicá-la a domínios não explorados pelo próprio autor da teoria" (Ferreiro, 2001a, p. 18), a autora (e, obviamente, os estudiosos por ela liderados) recuperou os referenciais básicos de seu mestre Piaget (as concepções de sujeito cognitivamente ativo, de aprendizagem como processo construtivo, de elementos da cultura como objetos de conhecimento que instigam os sujeitos desde muito cedo e o método clínico de investigação) para trilhar um caminho conceitual e metodológico inédito. Assim, ao estudar a construção da língua escrita, provou o valor heurístico do paradigma psicogenético também na alfabetização.

Calcada no princípio de que "o menino é pai do homem"[12], a psicologia genética de Piaget havia provado que, para compreender um comportamento já formado, é preciso galgar à sua gênese. E foi buscando a gênese da escrita que Ferreiro pôde descortinar os processos cognitivos inerentes à aprendizagem da língua escrita. Ao descobrir que a maioria dos alunos que ingressam na escola já tem muitas concepções sobre a língua escrita, seu propósito era compreender: como o sujeito cognitivo, que Piaget nos ensinou a enxergar, se comporta diante da aprendizagem das letras? Quais são suas hipóteses para lidar com a escrita enquanto objeto cultural? Como se dá a progressão desse conhecimento? Qual é a interferência da escola na construção desse processo de aprendizagem? (Ferreiro e Teberosky, 1984, 1986). Descobrir que crianças pequenas – não escolarizadas e tecnicamente analfabetas – não são indiferentes ao mundo letrado e que, de fato, se ocupam em compreendê-lo representou um enorme avanço para a pedagogia da alfabetização.

Os resultados de suas investigações sobre a psicogênese da língua escrita apontam para evidências surpreendentes, que não só revelaram o percurso dessa aprendizagem, como chamaram a atenção para a natureza essencialmente criativa do esforço cognitivo ao longo da alfabetização. Assim como em outros campos, o aparecimento de comportamentos imprevisíveis deu mostras da natureza das concepções infantis (Ferreiro, 1987, 2001a e b, 2007; Ferreiro e Teberosky, 1984, 1986): algumas exigem que a escrita de uma palavra genérica seja formulada pela coleção de caracteres, designando, respectivamente, objetos por ela representados (a palavra "comida", por exemplo, deveria ser construída por caracteres representando diversos alimentos); outras pretendem formar o diminutivo de uma palavra suprimindo letras do termo maior (se tirarmos uma letra da palavra "gato", poderíamos obter a palavra "gatinho"); muitos alunos sugerem que o plural seja formado pela

12. Segundo a máxima "o menino é pai do homem" e os postulados construtivistas, no processo de construção dos esquemas de ação ou de conhecimento, o sujeito vai ampliando o seu repertório com base no que já domina ou no que já sabe. Por essa lógica se explica a progressão do menino que engatinha para o homem que anda; do pequeno aprendiz da escrita para o efetivo escritor. Assim como o andar térreo sustenta os andares de um grande edifício e cada patamar, por sua vez, sustenta o seguinte, todos os estágios têm o seu devido valor, razão pela qual a educação deve se voltar para os processos de aprendizagem tanto quanto para o seu produto.

duplicação de uma palavra escrita (se ABTE puder representar o termo "cavalo", ABTEABTE deveria significar "cavalos"); há ainda os que se recusam a registrar situações de falta (nesse caso, a frase "não temos brinquedos" seria impossível de ser escrita; afinal, como corporificar no papel a condição de ausência?) ou acham que com poucas letras não é possível escrever; observam-se também crianças que, pautando-se pela hipótese silábica, escrevem colocando uma letra para cada sílaba, de modo que a palavra "chocolate" deveria ter necessariamente quatro letras.

Em face de tantas descobertas, a autora (Ferreiro, 2001b, p. 24-25) recorda-se da surpresa dos próprios pesquisadores, que, no início das investigações, não dispunham de referenciais para explicar os dados coletados:

> Lembro-me de como ríamos quando voltamos de uma escola com esses resultados, porque foi muito divertido [...]. Nessa época não nos revelava nada. Simplesmente desejávamos que não houvesse mais crianças como essas, que fossem casos isolados de crianças exóticas, divertidas. Porque se você se depara com várias respostas desse tipo não tem alternativa, é preciso perguntar o que estão nos dizendo.

Hoje, sabemos que essas "estranhas concepções" são particularmente interessantes na dinâmica da construção cognitiva pela sua possibilidade de gerar conflitos.

Quando a escrita é compreendida como a representação dos objetos, a criança pode estranhar que a palavra "boi" tenha menos letras que o termo "formiguinha". De fato, do seu ponto de vista, não seria justo atribuir menos letras a um objeto maior e mais pesado. Ainda na hipótese pré-silábica (quando a criança não relaciona a escrita com a fala), a exigência qualitativa de variar as letras dentro de uma mesma palavra pode trazer conflitos quando o sujeito depara com caracteres repetidos, como é o caso da escrita de "babá".

Mais tarde, quando já compreendeu que a escrita é uma representação da fala, permanece o dilema de quantas e quais letras colocar para que se possa escrever. Na hipótese silábica, quando os alunos pretendem fazer a correspondência de uma letra para cada sílaba, a escrita de palavras monossílabas parece insustentável porque eles não admitem que se possa escrever com uma única letra. Outro conflito típico da hipótese silábica é a comparação entre palavras com letras fonologicamente estáveis, quando, por exemplo, escrevem AA para designar "casa", "bala" ou "sala". Nesse caso, a certeza de que palavras diferentes devem ser escritas de modos diferentes mostra-se incompatível com a escrita silábica com valor sonoro estável de vogais, o que impele o sujeito a buscar outras letras (por exemplo, escrever BA para "bala") ou colocar mais letras para a uma única sílaba, evoluindo para a hipótese silábico-alfabética (como BAA para "bala"), situação em que escreve oscilando entre os critérios alfabético (na primeira sílaba) e silábico (na segunda sílaba).

Até mesmo quando a criança chega à hipótese alfabética, compreendendo o funcionamento do sistema de escrita, podem aparecer conflitos fundados nos diferentes modos de dizer e de escrever. Em alguns casos, pela transcrição dialetal como "pissicreta" e "brusa" (para designar "bicicleta" e "blusa"); em outros, pelas convenções ortográficas, como nas situações em que é preciso optar por S, SS, C, Ç, SC ou X para registrar o fonema /s/.

Em todos esses exemplos, o que fica evidente é o valor do conflito cognitivo, que, desestabilizando concepções prévias, permite a consideração de outras hipóteses. E, por essa via, o avanço do sujeito na direção de concepções mais próximas do convencional. É nesse sentido que se pode reconfigurar o papel dos docentes e das crianças em sala de aula:

> Os professores podem guiá-las proporcionando-lhes os materiais apropriados, mas o essencial é que, para que uma criança entenda, deve-se construir ela mesma, deve reinventar. Cada vez que ensinamos algo a uma criança, estamos impedindo que ela descubra por si mesma. Por outro lado, aquilo que permitimos que ela descubra por si mesma permanecerá com ela. (Piaget, 1971, p. 53)

IMPLICAÇÕES PEDAGÓGICAS

Com base no conhecimento dos percursos cognitivos e de suas dinâmicas na reestruturação mental, Ferreiro e os pesquisadores por ela liderados defendem uma mudança de foco nas práticas de ensino. Em vez de considerar as hipóteses das crianças como reflexo de imaturidade, é preciso vislumbrar a natureza inteligente de suas concepções, assumindo que elas fazem parte do processo de construção do conhecimento.

Compreender esse processo é o melhor caminho para que sejam abandonadas as práticas escolares adultocêntricas que, com o propósito de didatizar a escrita, acabam, tal como explica Ferreiro (2001b, p. 33), domesticando-a sob formas artificiais e mecanicistas do dizer:

> O objeto da escrita no mundo social é um objeto selvagem. Há todo tipo de caracteres: maiúsculas, minúsculas, cursivas, grandes, pequenas e combinações próprias da escrita de cada língua. Existe uma escrita que a escola considera desorganizada, fora de controle, caótica. O que faz a escola? Domestica esse objeto, decide que as letras e as combinações são apresentadas em certa ordem e constrói sequências com a boa intenção de facilitar a aprendizagem.

As consequências de tal postura favoreceram o fracasso escolar. De um lado, porque superestimavam os alunos (justamente os das classes menos favorecidas) que, limitados em suas experiências de leitura e escrita, não tinham as mesmas motivações e saberes de seus colegas provenientes de famílias mais letradas. De outro, porque subestimavam todos aqueles que, mesmo já tendo descoberto os encantos da língua e a sua natureza comunicativa, eram submetidos às práticas de reprodução de traçados, cópias e exercícios de silabação. Nas palavras de Ferreiro (2002, p. 37-38),

> esses meninos e meninas curiosos, ávidos por saber e entender, estão em toda parte, no norte e no sul, no centro e na periferia. Não os infantilizemos. Desde muito cedo eles se fazem perguntas com profundo sentido epistemológico: o que é que a escrita representa e como o representa? Reduzindo-os a aprendizes de uma técnica, menosprezamos seu intelecto. Impedindo-os de entrar em contato com os objetos em que a escrita se realiza, e com os modos de realização da língua escrita, desprezamos (malprezamos ou tornamos inúteis) seus esforços cognitivos.

Diante da diversidade das experiências vividas pelas crianças (o que justifica diferentes estágios de conhecimento em um mesmo grupo de alunos) e da complexidade dos processos de aprendizagem (o que legitima diferentes percursos de construção cognitiva), o desafio de ajustar o ensino aos processos de aquisição do saber dos sujeitos requer que o aluno seja colocado no centro do processo de aprendizagem – o que, na prática, implica uma considerável reconfiguração dos papéis tipicamente assumidos na escola. Nessa perspectiva, cabe aos educadores a tarefa de criar oportunidades para que os alunos possam refletir sobre a língua, tendo boas razões para substituir suas hipóteses originais por outras mais elaboradas.

A esse respeito, Ferreiro (2002) explica que se alfabetiza melhor quanto mais forem as oportunidades de: produzir e interpretar diferentes textos; interagir com a língua; lidar com diferentes propósitos comunicativos; reconhecer a diversidade de problemas a ser enfrentados por aquele que escreve; vivenciar diversas posições enunciativas ante um texto (autor, revisor, comentarista) e experimentar diferentes hipóteses em níveis de competência diversos.

ENTRE O PASSADO E O FUTURO: AVANÇOS E DESAFIOS

O conjunto das pesquisas psicogenéticas mudou definitivamente o modo como compreendemos o processo de aprendizagem da língua escrita, lançando luzes sobre a necessidade de revisão das práticas pedagógicas. Nos últimos 40 anos, a ampliação do próprio conceito de alfabetização trouxe significativas implicações para as políticas educacionais, as diretrizes de ensino oficialmente assumidas, os programas de formação docente, as frentes de pesquisa pedagógica, os princípios de avaliação e as dinâmicas em sala de aula. No entanto, ao lado dos avanços indiscutivelmente obtidos, não se pode desconsiderar as dificuldades da transposição didática, tantas vezes prejudicada pela lenta – por vezes deficiente, inadequada e reducionista – assimilação desse referencial teórico (Frigo, 2020; Siqueira e Colello, 2020; Lucas e Colello, 2019; Siqueira, 2018; Vidal, 2014, 2015, 2021). A esse respeito, Colello e Luize (2005) apresentaram alguns dos equívocos bastante frequentes da prática pedagógica:

QUADRO 2 – PROPOSIÇÕES CONSTRUTIVISTAS E TENDÊNCIAS EQUIVOCADAS DA TRANSPOSIÇÃO DIDÁTICA

Proposições construtivistas	Tendências equivocadas e reducionistas da transposição didática
Evolução psicogenética entendida como um processo ativo e pessoal de elaboração cognitiva, com base nas experiências vividas.	Ausência de intervenções pedagógicas para não "atrapalhar" o processo individual de aprendizagem, isto é, sem a preocupação de propor experiências ou situações favoráveis à construção do conhecimento.
Construção do conhecimento a partir de condições favoráveis para o envolvimento pessoal, a elaboração e a testagem de hipóteses, a possibilidade de descoberta e a apropriação do saber significativo. Um ensino capaz de respeitar o tempo de aprendizagem, as experiências e os conhecimentos já construídos pela criança, compreendendo o erro como parte desse processo de aprendizagem.	• Prática pedagógica como um ativismo didático de duração imprevisível, não necessariamente colocando a criança como foco da intervenção didática. • Desconsideração do planejamento. • Aceitação de qualquer tipo de erro sem o esforço interpretativo para compreender a sua "lógica" ou para transformá-lo em um recurso para a superação das dificuldades.
Identificação de momentos conceituais de compreensão e produção da escrita: pré-silábico, silábico, silábico-alfabético e alfabético.	• Divisão da classe ou de subgrupos de trabalho "por níveis". • Planejamento e proposição de "atividades por níveis". • Pretensão de hierarquizar a aprendizagem em "etapas", induzindo a progressão do conhecimento a partir da sucessão dos "níveis" descritos. • Avaliação da aprendizagem unicamente com base nos "níveis", numa tentativa de "classificar" as crianças e seus saberes sobre a escrita.

Escrita espontânea como oportunidade de produção significativa para a reflexão linguística e para a constituição da autoria (o aprendiz-autor).	• Deixar a criança escrever livremente, sem interferências e por tempo indeterminado e sem propósitos ou destinatários definidos. • Evitar a correção ou qualquer forma de revisão textual.
Interlocução como recurso para a troca de informações e desestabilização das hipóteses construídas, favorecendo a possibilidade de avanço.	Promoção de trabalhos em grupo, supondo a interlocução como consequência necessária do "agrupamento de pessoas".
Escrita do nome próprio como conhecimento significativo que pode funcionar como um referencial estável de escrita na tentativa de outras produções ou de reflexão sobre a língua.	Ensino do nome próprio como a primeira lição do ano e pré-requisito para as demais aprendizagens.
Para aproximar a língua de seus usos sociais, estímulo ao uso de vários portadores textuais, em diferentes possibilidades de uso, funções ou gêneros de escrita.	• Composição de livros didáticos que, pretendendo substituir as cartilhas, agrupam diferentes tipos textuais, mas não asseguram as especificidades do portador nem as reais situações de uso. • Trabalhar só com textos em detrimento de uma reflexão mais sistemática sobre o funcionamento do sistema.
Reflexão sobre a escrita para o avanço na compreensão do funcionamento desse sistema linguístico.	Trabalhar com textos só depois de "dominada" a escrita alfabética.
Acompanhamento do processo de aprendizagem do aluno, visando ao planejamento de situações didáticas reflexivas e aos agrupamentos produtivos em sala de aula, além de intervenções docentes eficientes para a construção do conhecimento.	• Sondagem periódica das hipóteses conceituais de escrita como instrumento único para avaliar o avanço dos estudantes. • Instituir as hipóteses conceituais como metas bimestrais ou semestrais a ser atingidas.

Considerando tantos enganos, a própria Emilia Ferreiro (1990) foi surpreendida por iniciativas pedagógicas (supostamente) construtivistas, a ponto de não reconhecer nelas os princípios piagetianos. Assim, entre as conquistas e as dificuldades relacionadas com o ensino da língua escrita, fica o desafio que hoje, mais do que nunca, convoca os educadores a repensar a alfabetização. Nas palavras da autora (2002, p. 39),

> entre o "passado imperfeito" e o "futuro simples" está o germe de um "presente contínuo" que pode gestar um futuro complexo: ou seja, novas maneiras de dar sentido (democrático e pleno) aos verbos "ler" e "escrever". Que assim seja, embora a conjugação não o permita.

8. As dimensões do ler e escrever na sociedade contemporânea e na revisão dos paradigmas escolares

Com base nos temas trabalhados até aqui – o entendimento da alfabetização para além de um simples conteúdo de aprendizagem, os aportes teóricos em diferentes linhas epistemológicas, os princípios advindos da linguística e da psicologia, assim como suas implicações pedagógicas –, o presente capítulo pretende fazer um síntese das várias dimensões (linguística, sociocultural, cognitiva e pedagógica) que se articulam na complexidade do ensino e aprendizagem da língua escrita, visando situar o desafio de alfabetizar na sociedade contemporânea. Partimos do princípio de que compreender as concepções de língua, de ensino e de aprendizagem que subsidiam as práticas pedagógicas é o melhor aval para enfrentar os vícios de uma escola que nem sempre ensina a escrever (Colello, 2012; Frigo, 2020; Siqueira, 2018) ou nem sempre ensina a ler e escrever para os padrões do mundo de hoje (Colello, 2017a, Colello e Luiz, 2019, 2020; Coll e Monereo, 2010; Gómez, 2015). Mais especificamente, o que está em pauta são os seguintes questionamentos: na dimensão linguística, o que ensinamos quando ensinamos a ler e escrever? Na dimensão sociocultural, para quê (ou para quem) ensinamos a ler e escrever? Na dimensão cognitiva, como se aprende a ler e escrever? Na dimensão pedagógica, como se ensina a ler e escrever?

No contexto da escola, um debate dessa natureza merece ser travado não só para desvendar pontos de confusão sobre princípios e diretrizes do ensino como também, e principalmente, para iluminar a revisão das práticas pedagógicas. No contexto sociocultural, tais propósitos incidem sobre os desafios de diminuir desigualdades e delinear sólidas metas para a educação pública. No contexto político, trata-se de garantir direitos – incondicionais – a todos.

AS DIMENSÕES DO LER E ESCREVER

No que diz respeito à dimensão linguística, é possível, conforme vimos nos Capítulos 2 a 6, situar diferentes concepções sobre a língua escrita coexistindo na escola (Colello, 2011, 2012, 2017b; Fiorin, 2009; Frigo e Colello, 2018; Geraldi, 1993; Luiz e Colello, 2020; Micotti, 2012; Rojo, 2001), o que, não raro, justifica um cenário nebuloso de práticas pedagógicas e de avaliação dos resultados.

De fato, quando a língua é tomada como código, prevalecem o ensino centrado na aquisição da base alfabética (a associação de fonemas e grafemas), a ênfase na ortografia, as práticas de silabação como exercícios preparatórios para a codificação (escrita) e decodificação (leitura). Em outra possibilidade, quando a língua é entendida como mecanismo de expressão, escrever e ler significam, respectivamente, "transpor uma ideia para o papel" e "extrair a informação ali colocada". Em ambos os casos, a escrita é concebida como objeto monológico e inflexível, isto é, desvinculada dos propósitos comunicativos e do contexto da interlocução. Na autonomia do texto que, uma vez fixado em um suporte (tela ou papel), supostamente se explica por si só, há um inevitável processo de exclusão do leitor, como se de fato ele não fizesse parte da situação comunicativa ou da construção de sentidos. As consequências dessa condição aparecem com frequência na forma de descomprometimento do aluno, dificuldades de aprendizagem, prejuízo dos hábitos de leitura, rejeição ao *status* de leitor e escritor (como é o caso do "aluno copista"), analfabetismo de resistência, fracasso escolar e práticas linguísticas limitadas que sustentam o analfabetismo funcional (Colello, 2004a e b, 2012).

Uma abordagem diversa acontece quando a escrita, respeitando a concepção de Bakhtin (1988, 1992), é tratada como manifestação discursiva, isto é, como situação de encontro e de interação. Nesse caso, a língua se constitui na relação entre pessoas que, pela negociação de sentidos, participam ativamente da construção linguística, entendendo-a como espaço de efetiva comunicação (Coelho, 2009; Colello, 2007, 2012, 2017a e b; Geraldi, 1993, 2009; Goulart, Gontijo e Ferreira, 2017; Rocha e Val, 2003; Silva, Ferreira e Mortatti, 2014; Zaccur, 1999). Admitir a natureza dialógica da escrita põe em evidência sua dimensão sociocultural, isto é, o fato de que ler e escrever só fazem sentido em um universo contextualizado, em função de determinadas condições de produção e de interpretação.

É só em face de propósitos sociais e de modos do dizer historicamente situados que as práticas de escrita são legitimadas. Por isso, mais do que aprender o funcionamento do sistema da escrita, importa aprofundar a inserção do sujeito no contexto das práticas letradas de seu mundo. Não há, pois, como separar alfabetização e letramento (Colello, 2004a e b, 2010; Soares, 1998, 2003, 2020).

No que diz respeito à dimensão cognitiva, ao superar a concepção da aprendizagem como processo linear e fragmentado de acumulação de saberes (as letras, as sílabas, as palavras, a ortografia etc.), que separa o momento de aprender do momento de fazer uso do conhecimento, somos obrigados a lidar com o sujeito cognitivo que Piaget nos ensinou a reconhecer: a criança ativa que, no desejo de compreender o mundo, busca informações, cria hipóteses, antecipa resultados, testa concepções, enfrenta conflitos e (re)constrói o conhecimento. No caso da escrita, trata-se de um processo que, de modo singular, coloca o aluno diante de diferentes frentes de construção cognitiva (Colello, 2004b, 2012, 2015, 2017a): usos da escrita, relações entre imagem e texto, oralidade e escrita, dialetos e escrita, gêneros textuais e suportes da escrita; variações quantitativas e qualitativas da escrita (com quantas e com quais letras escrever), natureza fonológica da escrita, convenções e arbitrariedades do sistema – aspectos que, inevitavelmente, remetem à reflexão metalinguística.

Compreender o processo cognitivo impõe a necessidade de se rever as práticas de ensino, nem sempre preparadas para lidar com a sua complexidade (Colello, 2012; Colello e Lucas, 2018; Frigo, 2020; Lerner, 2002; Siqueira, 2018; Teberosky e Colomer, 2003; Weisz e Sanchez, 2002). Por isso, na dimensão pedagógica, cumpre criar um espaço cognitivamente provocativo, socialmente contextualizado e pessoalmente sedutor; um espaço capaz de conciliar propósitos comunicativos (usos sociais da escrita) e didáticos (saberes sobre a escrita). Em outras palavras, é preciso investir na sutura entre "usar, aprender e descobrir" a escrita (Geraldi, 1993). Descobrir, porque, no conjunto das experiências letradas, o sujeito pode vislumbrar alternativas cada vez mais sofisticadas de interações sociais, propósitos de manifestação, funções linguísticas, gêneros textuais e modalidades comunicativas. Aprender, porque as experiências promovem a reflexão metalinguística e a compreensão sobre o funcionamento da escrita, ampliando repertórios do dizer e a relação do sujeito com o mundo letrado. Usar, porque a descoberta e a aprendizagem, em uma relação dialética, garantem a constituição do sujeito interlocutivo, graças às progressivas possibilidades de produção e de interpretação linguística, assim como de constituição da postura autoral e crítica.

Em oposição à realidade de tantas escolas que não ensinam efetivamente a escrever (Colello, 2012; Colello e Lucas, 2017; Frigo, 2020; Geraldi, 1993;

Siqueira, 2018; Siqueira e Colello, 2020; Zaccur, 1999), a compreensão das intrincadas esferas da construção da língua escrita sustenta outras implicações para o funcionamento escolar: um ensino que possa trazer o mundo para dentro da sala de aula e, ao mesmo tempo, tornar a escola instância significativa no contexto de vida; professores capazes de lidar com diferentes caminhos de produção e interpretação, dialogando com seus alunos e ampliando os mecanismos de interação e comunicação; atividades linguísticas baseadas na ampliação de competências do ouvir e falar, ler e escrever. Nesse sentido, o desafio dos educadores na sociedade contemporânea, mais do que alfabetizar, é investir na constituição do sujeito leitor e escritor, incorporando na sua prática o significado político da formação humana.

LER E ESCREVER NA SOCIEDADE CONTEMPORÂNEA

Indiscutivelmente, os avanços na área da comunicação, as possibilidades geradas pelo uso da informática e os apelos da sociedade tecnológica transformaram os modos de relação social, o acesso à informação e as formas de trabalho. Vivemos em uma época de rápidas mudanças, o que necessariamente remete à revisão das práticas educacionais. Afinal, como preparar o ser humano de hoje para a sociedade de amanhã? Como a tecnologia afeta o processo de aprendizagem?

No caso específico do ensino da língua escrita, a emergência desses questionamentos aponta para implicações que, à luz das novas tecnologias, tornam mais ou menos evidente a necessidade de se transformar a escola (Colello, 2015, 2017a; Colello e Luiz, 2020; Coll e Monereo, 2010; Ferreiro, 2013; Geraldi, Fictner e Benites, 2006; Gómez, 2015; Luiz, 2020; Teberosky, 2004).

Em uma perspectiva mais evidente (porque mais próxima do senso comum e dos princípios básicos da educação), parece óbvio que a escola deva ajustar-se aos recursos de seu tempo. Como a língua escrita é uma construção cultural que se concretiza em práticas socialmente definidas e em modalidades de uso contextualizadas, aprender a ler e escrever faz sentido na medida em que puder se articular ao esforço de aproximar o aluno das tecnologias de comunicação e acesso ao saber. Nesse sentido rompe-se a distinção formal entre alfabetização e alfabetização digital. Ensinar a ler e escrever é ensinar a ler e escrever com os recursos do nosso tempo. Na concretização desse princípio, é preciso ter claro que o letramento digital não se conquista apenas com a entrada dos computadores na escola nem com a inserção de aulas de informática na grade curricular. O desafio está em se apropriar das novas formas de ler e escrever, buscando o ajustamento linguístico e tecnológico na pluralidade de práticas sociais – práticas estas muitas vezes inusitadas até para os próprios educadores. Em certo sentido, precisamos ensinar aquilo que também temos de aprender.

Em perspectivas menos evidentes (porque mais técnicas e inovadoras), as novas tecnologias trazem a questão do significado do ler escrever no mundo de hoje. Em nossa sociedade, as atuais práticas de leitura e escrita – que circulam em caminhos imprevisíveis criados e recriados pelo sujeito no livre trânsito entre links, sites e chats da internet, redes sociais, "janelas" do computador ou por recursos do "recortar e colar", "inserir e deletar", "escrever, formatar, editar e divulgar" – rompem definitivamente com a falsa convicção de que a escrita se processa linearmente pela sucessão de palavras, linhas ou páginas ou de que vive aprisionada na impressão do papel. Considerando as demandas de nosso tempo, Kaufman (2020) explica:

> Ser leitor hoje em dia não implica uma determinada habilidade, mas múltiplas habilidades. Uma coisa é ser leitor de literatura e outra é ser um leitor de jornais, assim como outra coisa bem diferente é saber ler e escrever por e-mail. Alguém pode ser um ótimo leitor de literatura e não conseguir fazer uma leitura adequada das informações da internet, por exemplo. [...] Por isso é importante que as crianças tenham acesso a todas as possibilidades de leitura.

Nas práticas pedagógicas, a explosão de recursos comunicativos torna obsoleto o ensino fechado em si mesmo, isto é, a escrita descontextualizada e artificialmente moldada para fins didáticos. No contexto da nossa sociedade – dinâmica, informativa, interativa, globalizada, tecnológica –, mais do que nunca, é preciso admitir que o fato de estar alfabetizado no âmbito escolar não necessariamente garante estar apto à participação social (Ferreiro, 2002, 2013).

Em síntese, parece que, quanto mais exigente for a sociedade, mais se fortalecem as demandas educacionais e a necessidade de compromisso dos educadores com a construção da sociedade democrática. Reconfigurando o que antes aparecia como meta estritamente escolar, a alfabetização renova seu significado político pelo compromisso de constituição do ser humano, oferecendo-lhe possibilidades de expressão, interação, interpretação, debate, compreensão, produção e criação. Paradoxalmente, no plano educacional, ajustar-se à modernidade implica resgatar os sentidos mais antigos do aprender a escrever: o direito à palavra, a ampliação dos recursos comunicativos e das possibilidades de inserção social.

PARTE II

Alfabetização: ensino e aprendizagem

Produzimos novos significados nas interações sociais que supõem ampliação, reorientação, reinterpretação e modificação dos significados anteriores. No processo social de negociação de significados, a interpretação e a ação, o fazer e o pensar estão envolvidos tão intimamente que dificilmente podemos estabelecer barreiras entre eles. Os significados não existem somente em nós e nem só no mundo, mas na relação dinâmica que estabelecemos ao viver no mundo.

(Gómez, 2015, p. 121)

Nessa perspectiva, a aprendizagem é definida situacionalmente por meio de padrões e práticas discursivos com os quais professores e alunos constroem a vida de cada sala de aula. [...] Os processos de ensino e aprendizagem são vistos como processos sociais e interativos que ocorrem no interior de uma cultura específica produzida na escola, devendo, portanto, ser explorados dentro das situações reais em que ocorrem.

(Macedo, 2005, p. 15)

9. A construção do conhecimento e da língua escrita[13]

Como tema complexo, a construção do conhecimento (e particularmente da língua escrita) remete a muitos questionamentos: como as pessoas aprendem? Como explicar as diferenças individuais e sociais nos processos de aquisição da língua escrita? Como compreender a trajetória dessa aprendizagem antes, durante e depois da escola?

Sem a pretensão de esgotar o tema, este capítulo tem o objetivo de considerar tais aspectos, buscando, em cada um deles, as implicações pedagógicas mais imediatas.

COMO AS PESSOAS APRENDEM: INTERAÇÃO, RESOLUÇÃO DE PROBLEMAS E REVISÃO DOS PARADIGMAS ESCOLARES

O recorte do par "interação" e "resolução de problemas" – entre tantos outros aspectos que poderiam representar a mudança dos paradigmas escolares – não é aleatório. Ambos os aspectos aparecem frequentemente associados a diferentes nuances ao longo do século XX, nos trabalhos de Piaget (1896-1980), Vigotski (1896-1934), Dewey (1859-1952), Lewin (1890-1947), Bruner (1915-2016) e Paulo Freire (1921-1997). De qualquer forma, a despeito da dispersão de raízes teóricas, importa registrar a associação do referido par com as metodologias ativas, processos de ensino que colocam os indivíduos no centro da aprendizagem, privilegiando o protagonismo dos aprendizes e a relação entre sujeitos na sala de aula (Araújo, 2013; Araújo e Sastre, 2009; Carvalho *et al.*, 1998; Colello, 2015, 2017a; Colello e Luiz, 2019, 2020; Coll, Mauri e Ornubia, 2010a; Dalben, 2013; Luiz, 2020; Mennin, 2003; Leitinho e Carneiro, 2013; Schmidt, 2001).

Ao considerar a influência da psicologia cognitiva nos trabalhos de resolução interativa de problemas, Schmidt (2001) destaca três denominadores co-

13. Este capítulo foi adaptado, ampliado e atualizado de excerto da tese de livre-docência de Colello (2015).

muns: a concepção de ser humano como sujeito ativo e capaz de se envolver no processo de aprendizagem; o aproveitamento do conhecimento prévio nas práticas de ensino; o princípio de que a aprendizagem e a possibilidade de uso do saber são tributárias da forma como foi estruturado o conhecimento. Na mesma linha de raciocínio, Coll, Mauri e Ornubia (2010b) lembram que o princípio da resolução interativa de problemas está em sintonia com uma visão construtivista do ensino porque favorece o desenvolvimento de competências, privilegia o significado e a funcionalidade do conhecimento e, ainda, valoriza a importância do papel dos outros na mediação para a aprendizagem.

Partindo desses postulados e com o objetivo de situar as bases teóricas que, no presente trabalho, sustentam a compreensão da construção cognitiva da língua escrita, recorro, mais uma vez, aos referenciais teóricos construtivista e histórico-cultural (representados, respectivamente, pelas figuras de Piaget e Vigotski), para que se possa compreender, por diferentes vias, o papel das práticas interativas e da resolução de problemas na aprendizagem.

Referencial construtivista

Para Piaget, a construção do conhecimento é um processo de elaboração pessoal deflagrado a partir de uma situação-problema. "De uma perspectiva construtivista, o conhecimento só avança quando o aprendiz tem bons problemas sobre os quais pensar. É isso que justifica uma proposta de ensino baseada na ideia de se aprender resolvendo problemas" (Weisz e Sanchez, 2002, p. 66-7). No enfrentamento deles, conforme vimos no Capítulo 7, criam-se situações interativas (com o outro ou com os objetos de conhecimento) que favorecem o confronto entre as ideias prévias ou hipóteses do sujeito aprendiz e outras fontes de informação ou de comprovação em face da realidade. Como a aprendizagem não necessariamente corresponde ao processo de ensino (não é um decalque nem uma consequência necessária dele), a boa situação de aprendizagem deve levar em consideração o processo de construção cognitiva do aprendiz: a iniciativa do sujeito ao colocar em jogo o que sabe, o modo como ele testa suas hipóteses em situações interativas e a forma como lida com as contradições na experiência vivida. Quando uma hipótese antecipada pelo aluno não se confirma pelo confronto com a realidade, ele pode ter uma grande surpresa (por vezes, até um desapontamento) e, consequentemente, chegar a um conflito cognitivo que o obriga a rever ideias e a considerar novos pontos de vista, seja para mudar sua concepção original, seja para repensar suas hipóteses. Essa dinâmica, ilustrada pela Figura 4, explica a própria construção do conhecimento dada pela progressão de saberes, tendendo a avançar de concepções mais elementares para as mais elaboradas e próximas do saber convencional.

FIGURA 4 – CONSTRUÇÃO DO CONHECIMENTO NA PERSPECTIVA CONSTRUTIVISTA

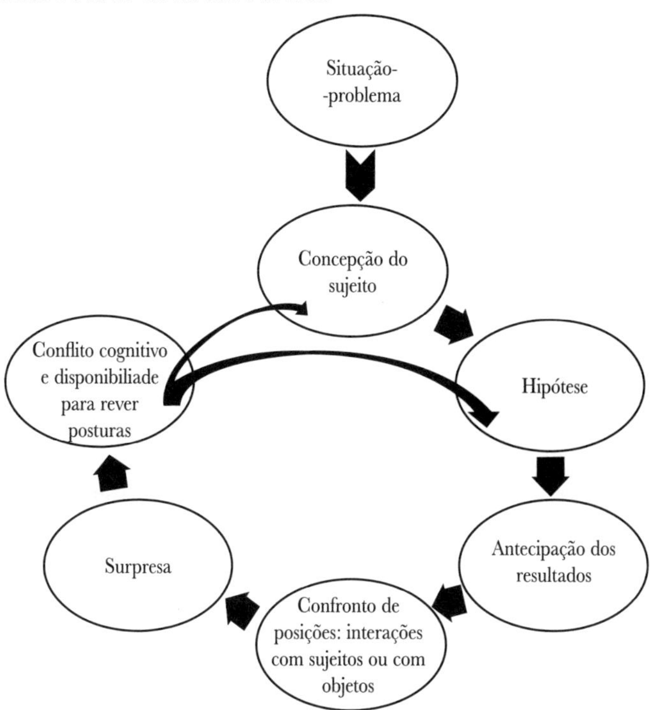

No caso da língua escrita, a figura pode explicar um típico percurso na progressão do conhecimento. Eis um exemplo desse processo:

- *Situação-problema.* Ao construir um álbum ilustrado sobre animais, a criança enfrenta o desafio de colocar legendas nas figuras desenhadas ou coladas no livro.
- *Concepção do sujeito.* A criança parte de um conhecimento prévio: a escrita como sistema de representação.
- *Hipótese.* A representação feita pela escrita poderia estar relacionada com o próprio objeto (no caso, o animal da figura a ser denominado).
- *Antecipação dos resultados.* Do ponto de vista da criança, se a escrita representa o animal, deveria guardar certa relação (ou semelhança) com

ele; assim, é possível supor que a palavra "formiguinha" tenha menos letras que "boi", já que a primeira é bem menor que o segundo.

- *Confronto de posições*. Ao comparar a antecipação feita com outras escritas apresentadas pelo professor ou por colegas mais adiantados, a criança percebe a diferença da escrita convencional em relação à sua antecipação produzida ou imaginada.
- *Surpresa*. Dessa constatação, decorre um estranhamento, por vezes uma decepção ou até uma postura de resistência, atitude que não tende a perdurar em função de outras comparações igualmente desestabilizadoras.
- *Conflito cognitivo*. A surpresa e o estranhamento transformam-se em um conflito, fazendo que o sujeito se questione ou busque uma explicação para a diferença nas escritas; por essa via, ele passa a ter boas razões para descartar suas hipóteses originais, disponibilizando-se a novos conhecimentos.
- *Revisão de concepções ou de hipóteses*. Ao buscar outros pontos de vista sobre o funcionamento do sistema, a criança pode chegar à ideia de que a escrita representa a fala, evoluindo para a hipótese silábica (cada letra representando uma sílaba) e, desta, por meio de novos conflitos, para as hipóteses silábico-alfabética (oscilação entre os critérios alfabéticos e silábicos) ou alfabética (a representação do fonema).

Note-se que esse exemplo de percurso cognitivo foi dado para um único eixo da língua escrita – o entendimento sobre a representação da escrita. Sabendo-se que a alfabetização é um processo muito mais complexo, incidindo, conforme se verá adiante, sobre inúmeros eixos cognitivos, fica ao leitor o desafio de pensar na pluralidade de situações em que, simultaneamente, muitas hipóteses e conhecimentos prévios estão sendo testados, confirmados ou refutados, revistos, reconsiderados, ampliados e sistematizados.

Em síntese, com base nesse referencial construtivista, fica evidente que o processo de aprendizagem envolve ação e reflexão, já que o sujeito é constantemente convidado a testar seus vários conhecimentos e abrir mão de suas concepções para considerar outras possiblidades de explicação e de entendimento. Por isso, "as dificuldades que as crianças enfrentam são dificuldades conceituais semelhantes à construção do sistema [...] [Elas] devem compreender seu processo de construção e suas regras de produção, o que coloca o problema epistemológico fundamental: qual é a natureza da relação entre o real e a sua representação?" (Ferreiro, 1987, p. 12-13).

O que move a criança na construção cognitiva é a busca de "uma lógica" que possa explicar o funcionamento das coisas de seu mundo (no caso, o funcionamento do sistema de escrita); um esforço que, em alguns momentos, mesmo distanciado dos saberes convencionais, merece ser considerado se o objetivo da escola é investir na formação de sujeitos pensantes, críticos e criativos.

Assim, em oposição às práticas tipicamente escolares, é possível afirmar, como Piaget, que a melhor aula não é aquela que traz respostas, mas a que instiga o sujeito com problemas, não só porque fortalece o significado da conquista cognitiva, como também por estimular o protagonismo, a autonomia e a curiosidade.

> [...] Conquistar por si mesmo certo saber, com a realização de pesquisas livres, e por meio de um esforço espontâneo, levará a retê-lo muito; mas isso possibilitará [...] ao aluno a aquisição de um método que lhe será útil por toda a vida e aumentará permanentemente a sua curiosidade, sem o risco de estancá-la; quando mais não seja, ao invés de deixar que a memória prevaleça sobre o raciocínio, ou submeter a inteligência a exercícios impostos de fora, aprenderá ele a fazer por si mesmo funcionar a sua razão e construirá livremente suas próprias noções. (Piaget, 1971, p. 54)

Dessa forma, tão importante quanto aprender é a capacidade de refletir sobre os próprios conhecimentos, possibilidades de fazer e de constituir critérios de conduta, evoluindo para a metacognição, tal como é definida por Flavell (1976), Guimarães e Bosse (2008). Ao tornar a aprendizagem um processo consciente e intencional, o sujeito tende a assumir o controle sobre seu processo cognitivo, já que, defrontando-se com seus aspectos fortes e fracos (o que sabe, o que não sabe, o que concebe com maior ou menor convicção, o que sabe que o outro sabe e o que percebe acerca do seu conhecimento), se cria a perspectiva de uma ruptura necessária para o avanço do conhecimento (Gómez, 2015; Piaget, 1971, 1989 e 1996).

Compatível com essa postura, fica também evidente o papel do professor como aquele que busca ajustar a intervenção pedagógica ao processo cognitivo do aluno, promovendo oportunidades de reflexão a partir de problematizações que desestabilizam o sujeito aprendiz. Nas palavras de Weisz e Sanchez (2002, p. 65),

> o professor é que precisa compreender o caminho de aprendizagem que o aluno está percorrendo naquele momento e, em função disso, identificar as informações e as atividades que permitam a ele avançar do patamar do conhecimento que já conquistou para outro mais evoluído. Ou seja, não é o processo de aprendizagem que deve se adaptar ao ensino, mas o processo de ensino é que tem que se adaptar ao de aprendizagem. Ou melhor: o processo de ensino deve dialogar com o de aprendizagem.

Referencial histórico-cultural

Liderado pelos trabalhos de Vigotski, os estudos histórico-culturais destacam, na construção cognitiva, o papel da interação social, o que não só alavanca o funcionamento psicológico, como também promove a aprendizagem:

> Pela visão teórica assumida, o processo de conhecimento é concebido como produção simbólica e material que tem lugar na *dinâmica interativa*. Tal movimento interativo não está circunscrito apenas a uma relação direta sujeito-objeto, mas implica, necessariamente, uma *relação sujeito-sujeito-objeto*. Isso significa dizer que é através de outros que o sujeito estabelece relações com objetos de conhecimento, ou seja, que *a elaboração cognitiva se funda na relação com o outro*. Assim, a constituição do sujeito, com seus conhecimentos e formas de ação, deve ser entendida na sua relação com outros, no espaço da intersubjetividade.
>
> Ainda, dada a natureza social e simbólica da atividade humana, os processos de funcionamento mental, culturalmente organizados, são mediados por signos que só podem emergir num *terreno interindividual*. Deste modo, na explicação do surgimento de formas mediadas de ação e da origem da ação individual, um papel fundamental é atribuído à palavra, signo por excelência. *A mediação pelo outro e pelo signo caracterizam, portanto, a atividade cognitiva*. (Smolka e Góes, 1995, p. 9-10, grifos meus)

A vida humana, em qualquer tempo ou espaço, faz surgir diferentes ordens de situações-problema que, em contextos sociais mais complexos ou na esfera intencional e sistemática da escola, não são mais enfrentadas só de modo direto. Um exemplo disso é o problema da fome, que remete à necessidade de caça e coleta e à coordenação progressiva de ações conjuntas e integradas para lograr a subsistência, inclusive criando outras formas de garanti-la: o desenvolvimento de tecnologias mais eficientes para a caça, as iniciativas planejadas para o plantio, os sistemas organizados de agricultura, os mecanismos de armazenamento e preservação dos alimentos e até a construção de campos de conhecimento como a agronomia e a pecuária.

Assim como os seres humanos aprenderam a perceber problemas e a buscar conjuntamente modos de resolvê-los por meio de atividades colaborativas e complexas, a criança encontra, no seu cotidiano, objetos e situações-problema que "clamam" por reações, entendimentos, negociações, iniciativas e produções cada vez mais elaboradas. Problemas que, a princípio, eram resolvidos com base na experiência prática podem ser enfrentados com o apoio de operações lógicas formais e com base em sistemas estruturados de conhecimento. Assim, ao longo do curso de desenvolvimento, as pessoas tendem a passar, progressivamente, de atividades diretas (por exemplo, a experiência física e sensorial de frio e calor) para modos mediados de ser, de agir, de aprender e de organizar o real (como a compreensão das escalas de temperatura, as decisões baseadas na previsão de tempo etc.).

O papel da escola é justamente subsidiar esse processo de forma planejada e sistemática, fomentando a elaboração mental, inclusive nos procedimentos envolvidos na resolução de problemas. Luria (1990, p. 157), colaborador de Vigotski, explica o processo de mediação pedagógica para esse tipo de raciocínio:

> Em muitos aspectos, a resolução de problemas é uma capacidade que envolve um modelo de processos intelectuais complexos. Cada problema escolar conhecido se resume a uma estrutura psicológica complexa na qual o objetivo final (formulado como o problema da questão) é determinado por condições específicas. Somente através da análise dessas condições é que o estudante pode estabelecer as relações necessárias entre os componentes da estrutura em questão; ele isola as essenciais e despreza as que não são essenciais. Através do arranjo preliminar das condições do problema, o estudante formula uma estratégia geral para a solução do mesmo; em outras palavras, o estudante cria um esquema geral lógico que determi-

na o rumo para a próxima investigação. Tal esquema, por sua vez, determina a tática de raciocínio e a escolha das operações que podem levar à tomada de decisão. Uma vez feito isso, o estudante passa para o último estágio, juntando os resultados com as condições específicas. Se os resultados estão de acordo, ele chega à solução; se alguma das condições não foi satisfeita e os resultados não estão de acordo com as condições iniciais, a pesquisa para chegar à solução necessária continua.

A Figura 5 procura ilustrar o papel das interações sociais – a relação com o outro – no processo de aprendizagem e desenvolvimento, situando o papel mediador da escola no trânsito entre as esferas de vivência e de conhecimento formal.

FIGURA 5 – INTERAÇÕES SOCIAIS NA CONSTRUÇÃO DO CONHECIMENTO SEGUNDO A ABORDAGEM HISTÓRICO-CULTURAL

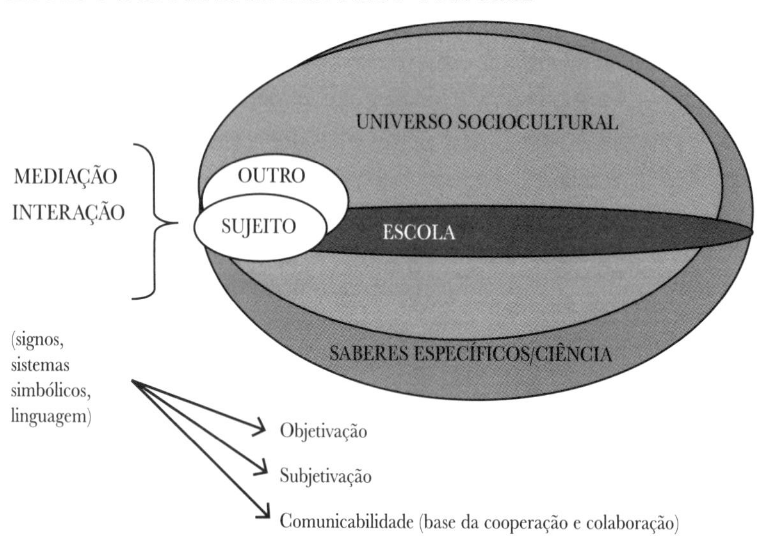

No caso específico da aquisição da língua escrita, podemos supor um sujeito que, ao se relacionar com o outro – um leitor e escritor mais experiente –, vai assimilando os sentidos das práticas sociais letradas (ler e comentar notícias de um jornal, consultar e aplicar as regras de um jogo, fazer e usar listas de compras etc.), dando sentido à língua escrita. Assim, quando um adulto interage com a criança dizendo "Vamos desenhar a nossa família para fazer um quadro que vai enfeitar o seu quarto" ou "Vamos escrever um bilhete para pedir ao Papai Noel o seu presente", ele não só medeia a compreensão e o uso dos signos e sistemas simbólicos, como também suas funções sociais em determinados contextos, tornando os desenhos e a escrita focos de interesse para os quais o sujeito passa a se disponibilizar. Conceber a produção simbólica e, particularmente, a aquisição da escrita e da leitura como resolução de problemas significa franquear ao sujeito-aprendiz a amplitude e a complexidade de operações típicas do usuário eficiente da língua. Na leitura, o que está em pauta é, em função de diferentes motivações, instituir "verdadeiros diálogos com um outro", lançando mão de estratégias interpretativas para a (re)construção de significados ou negociação de sentidos. Na produção textual, trata-se de usar o repertório pessoal (conhecimento de mundo, da língua, do contexto, dos valores assumidos e dos interlocutores previstos) para lidar, em uma perspectiva discursiva, com as múltiplas escolhas de quem diz o que quer dizer, em função de propósitos do dizer e para quem quer dizer, valendo-se de estratégias do como dizer (Geraldi, 1993; Goulart, Gontijo e Ferreira, 2017). Visto dessa ótica, o processo de ensino-aprendizagem se reconfigura nas práticas escolares: como iniciativas sistemáticas e objetivamente planejadas para determinados fins, elas direcionam a aprendizagem e o desenvolvimento.

Como instância organizada para a conquista do saber, a escola incide na intensificação do processo de objetivação e subjetivação e, ainda, no estabelecimento da comunicabilidade que sustenta as práticas colaborativas. Pela mediação escolar, a objetivação, enquanto consciência do que é dado, não vem do objeto em si, mas da relação que as pessoas estabelecem com ele, uma relação de significado que tende a ser apreendida pelo sujeito. Nessa apropriação do objeto ou das estratégias de elaboração mental, o sujeito acaba por se (re)posicionar em face da realidade, o que resulta em processos de subjetivação. Em outras palavras, ao se apropriar do que é externo, ele aprende, modifica-se enquanto pessoa e passa agir sobre o mundo, modificando-o também. Calcados nos signos e nos sistemas simbólicos (principalmente na linguagem), os processos interativos de apreender (ou conhecer) o objeto e de agir em relação a ele remetem a representações mentais, a partir das quais é possível operar (lembrar, classificar, comparar, relacionar pontos de vista etc.). É nesse sentido – a linguagem como instrumento do pensamento – que se pode dizer que as interações sociais, por meio das relações verbais, marcam as relações do homem com seu mundo, determinando modos de convivência e de socialização (Geraldi, Fichtner e Benites, 2006).

A comunicabilidade que, em situações cotidianas, aparece centrada nos elementos próprios de um contexto (uma dada situação-problema) é prioritariamente marcada por "transmissões práticas interessadas" (Bakhtin, 1988), não necessariamente exigindo dos sujeitos mecanismos de generalização ou de metacognição. Isso tende a se modificar no espaço escolar, onde a intencionalidade e a sistematização do projeto de ensino visam alcançar conhecimentos que não são apreendidos diretamente da vida cotidiana, como é o caso dos conhecimentos metalinguístico e científico (Vygotsky, 1987). Nesse sentido, o papel da escola é justamente o de se constituir como campo de múltiplas interações que, partindo da realidade sociocultural do sujeito (mas agora com situações-problema propositalmente planejadas), possa operar significativamente – na perspectiva da zona do desenvolvimento proximal – para aprofundar o entendimento em áreas específicas do conhecimento. Trata-se de investir na compreensão da sua realidade e, para além dela, na inserção dos alunos em outras esferas mais formais e sistematizadas do saber.

DIFERENÇAS INDIVIDUAIS E SOCIAIS NO PROCESSO DE AQUISIÇÃO DA LÍNGUA ESCRITA

Com base no que foi apresentado, e partindo da hipótese de que interação e resolução de problemas (seja pelo referencial construtivista, seja pela perspectiva histórico-cultural), quando incorporadas às atividades de escrita, podem favorecer as relações na escola e com a escola, beneficiando o processo de aprendizagem, fica o convite aos educadores para rever as práticas de alfabetização. Na mudança de paradigmas escolares, o ensino da língua (e particularmente da escrita) se coloca em dupla direção: a escrita como mediação de aprendizagens e as relações pessoais ou processos interativos que, na e pela resolução de problemas, dão sentido à alfabetização.

Além de reconfigurar os paradigmas educacionais, os estudos liderados por Piaget e Vigotski permitem, por argumentos muito próximos, compreender as diferenças nos processos cognitivos e de alfabetização das pessoas. Os filhos de famílias mais favorecidas, que cultivam a língua em suas diversas práticas, tendem a se alfabetizar mais rapidamente que seus colegas que não tiveram as mesmas oportunidades. Esse é também o caso da maioria das crianças de países desenvolvidos, cujas práticas letradas costumam ser mais intensas do que nas sociedades em desenvolvimento. Somem-se a isso outros fatores relacionados com as políticas educacionais, como a valorização da educação infantil, a garantia de vagas e de ensino de qualidade, paralelamente às iniciativas mais específicas de incentivo à leitura.

A complexidade dos condicionantes do sucesso na alfabetização desestabiliza explicações reducionistas que procuram justificar a alfabetização em função da faixa etária ou do desenvolvimento motor. A esse respeito, a consideração da neurociência acerca de o cérebro de 6 anos estar apto para aprender a escrita seria conclusiva se não caísse no erro de desconsiderar a realidade sociocultural das crianças. Afinal, o que está em pauta não é só a maturidade neurológica para a alfabetização, mas a condição de vida que, em cada caso (e não por determinação *a priori*), favorece ou limita as experiências dos sujeitos no mundo letrado (Cook-Gumperz, 2008; Lahire, 1995).

Dessa forma, é possível afirmar que o processo pedagógico não existe por si só, mas em função de um aluno que, de acordo com o contexto cultural, participa mais ou menos das práticas de leitura, vivencia e valoriza a escrita de diferentes formas e tem oportunidades diversificadas compreender o funcionamento do sistema. Como o resultado da intervenção pedagógica depende do perfil sociocultural do aluno e de seu ponto de partida ao ingressar no ensino fundamental, impor à escola a obrigação de alfabetizar logo no 1º ano seria um risco e até uma irresponsabilidade. Se a meta de alfabetizar aos 6 anos parece sedutora em face de um ideal educativo do Primeiro Mundo, a obrigação de conseguir essa façanha com toda a população estudantil em países emergentes – e, sobretudo, nos meios marginalizados – acena para um verdadeiro desastre. Pressionados pelo cumprimento de uma meta inacessível, os professores correm o risco de atropelar o processo de aprendizagem, desrespeitando o ritmo das crianças. Por essa via, legitima-se uma escola que, para ensinar, sustenta as condições de fracasso. No caso do não cumprimento das metas, teríamos a tendência bastante discutível – e certamente injusta – de considerar já defasados alunos de 7 anos.

Vem daí a concepção de ciclo de alfabetização na escola, prevendo a flexibilização do ensino em função da realidade dos alunos. Em outras palavras, não se trata de impor a idade de 6, 7 ou 8 anos para "completar a alfabetização" (diretrizes frequentes na oscilação das políticas educacionais), mas de prever um tempo de sistematização a partir do que a criança já sabe e da sua relação com esse objeto de aprendizagem.

Além disso, a própria ideia de "completar a alfabetização" parece deturpada, porque, embora essa sistematização do ensino (a compreensão do sistema alfabético, de regras básicas e de formas específicas do dizer em diferentes suportes de escrita) possa ser o objetivo dos primeiros anos do ensino fundamental, a efetiva aprendizagem da língua escrita é (ou deveria ser) um projeto de longo prazo. Afinal, "aquele que escreve deve estar sempre descobrindo novas formas de manifestação [...] numa aprendizagem permanente, que nunca se conclui porque traz em si a possibilidade de novas formas de manifestação" (Colello, 2004b, p. 14).

A APRENDIZAGEM DA LÍNGUA ESCRITA ANTES, DURANTE E DEPOIS DA ESCOLA

Desde que nascem, as crianças, sobretudo aquelas de meio urbano, interagem com e no ambiente letrado e, calcadas nas experiências vividas, vão construindo ideias sobre a língua escrita. Tanto construtivistas como representantes da abordagem histórico-cultural têm como consenso que as crianças não são indiferentes aos objetos culturais de seu mundo.

Para Piaget, a motivação das crianças para interagir com tais objetos apresenta-se, como vimos, nos comportamentos típicos de um sujeito ativo e curioso que busca conhecer para compreender e se adaptar ao mundo. Essa postura justifica uma das principais críticas dos construtivistas ao tradicional ensino da língua escrita: "A crença implícita era a de que o processo de alfabetização começava e acabava entre as quatro paredes da sala de aula e que a aplicação correta do método adequado garantia ao professor o controle do processo de alfabetização dos alunos" (Weisz, 1997, p. 5).

Vigotski, por sua vez, veria na interação com os objetos culturais a tentativa da criança de fazer o mundo virar o seu próprio mundo: "Ao imitar a escrita do adulto, por exemplo, a criança está promovendo o amadurecimento de processos de desenvolvimento que a levarão ao aprendizado da escrita" (Oliveira, 1995, p. 63).

No entanto, na tentativa de explicar o processo da aprendizagem, vale lembrar que, para Vigotski, os elementos da cultura não são apresentados como dados estáticos; eles dependem de condições favorecedoras de um processo pessoal de recriação e construção de significados. Em outras palavras, é possível afirmar que "o desenvolvimento fica impedido de ocorrer na falta de situações propícias de aprendizado" (Oliveira, 1995, p. 57). Na mesma direção, os piagetianos defendem que "apenas a presença do objeto não garante conhecimento, mas sua ausência garante desconhecimento" (Ferreiro, 2001a,

p. 12). A construção cognitiva não é, pois, a apreensão de um objeto em si (como as letras e sílabas isoladas em uma página de cartilha), porque requer a participação de uma atividade estruturante, que permita estabelecer relações e significados em um dado contexto (Piaget e Garcia, 1982).

Como explicar as "situações propícias" ou as "atividades estruturantes" para o aprendizado no contexto pré-escolar? O que a criança pequena pode objetivamente aprender sobre a língua escrita?

Estudos recentes (Colello e Luiz, 2019, 2020; Luiz, 2020) com crianças pré-escolares a respeito de situações-problema típicas da cultura escrita[14] demostraram como, na progressão de seus percursos cognitivos, elas vão se debruçando em diferentes frentes de conhecimento (no caso, comportamentos leitores, propósitos sociais, modos de falar e escrever, gêneros, portadores e configurações textuais), evoluindo em um *continuum* de possibilidades para lidar com os dilemas do mundo letrado. Desde a incompreensão da situação-problema, as crianças passam por encaminhamentos de "lógica própria" (hipóteses pessoais) mais ou menos viáveis para a situação posta até chegarem a encaminhamentos convencionais.

Para explicar essa evolução, podemos supor que experiências significativas (e, muitas vezes, afetivamente relevantes) — como ouvir histórias contadas pelos pais, acompanhar uma avó que faz um bolo seguindo as instruções de um livro de receitas e perceber que bilhetes trazem notícias de pessoas ausentes — são decisivas para o processo de alfabetização, porque aproximam o sujeito da cultura escrita. Assim, o "letramento emergente", entendido como o impacto do conjunto de experiências de leitura e escrita sobre os indivíduos (Mowat, 1999), abre a perspectiva para que se possam compreender os caminhos assistemáticos de aprendizagem e a importância das experiências vividas no âmbito familiar, como se verá no próximo capítulo.

De fato, pela participação em práticas significativas de escrita, a criança, antes mesmo da instrução formal, pode, por exemplo, conhecer as letras con-

14. Nos referidos estudos, foram usadas 50 situações-problema relacionadas com a cultura escrita, na forma de dilemas contextualizados configurados a partir de eixos cognitivos básicos do sujeito aprendiz, por exemplo: como ajustar a fala para situações mais ou menos formais? Como se orientar em lugares desconhecidos por mapas ou placas? Como organizar uma biblioteca? Como localizar uma informação em um texto ou um capítulo específico em um livro? Qual é a função da bula do remédio e que tipo de informação ela pode conter? Como os diferentes suportes de escrita atendem a diferentes propósitos sociais de comunicação?

vencionais e diferenciá-las dos números; perceber que a escrita tem diferentes funções e cumpre distintos papéis na vida cotidiana, trazendo significados mesmo que não esteja acompanhada de imagens; perceber que a leitura se faz da esquerda para a direita (e, em alguns casos, de cima para baixo), permitindo a recuperação exata de uma história, contada sempre da mesma forma. Ao longo do tempo, a criança vai se familiarizando com a língua tipicamente escrita (diferente da oralidade) e também tomando ciência de vários tipos e gêneros textuais em estreita relação com os suportes de leitura e escrita. Vai também desenvolvendo estratégias de busca de informações, de interpretação e de relacionamento da escrita com outros sistemas de representação (mapas, gráficos, tabelas etc.), com o objetivo de (re)construir significados.

Além disso, essas mesmas experiências podem colocar a criança em sintonia com o mundo da escrita, justificando a valorização desse objeto, o desejo de aprender e até mesmo as primeiras tentativas de ler e escrever. Ainda que distantes da escrita convencional, os primeiros rabiscos ou iniciativas de interpretação são marcados pelo esforço cognitivo, prestando-se à elaboração e à testagem de hipóteses sobre o funcionamento da língua escrita; esforço que, do ponto de vista da construção do conhecimento, está longe de ser desprezível e faz toda diferença na aprendizagem escolar.

Essas experiências pré-escolares foram, durante muito tempo, desconsideradas pelos educadores, que não tinham referencial teórico para interpretar esses processos de cognição infantil (Weisz e Sanchez, 2002). Por isso, a alfabetização na escola começava de um "marco supostamente zero de conhecimento" e, conforme ilustra a Figura 6, trilhava um caminho didaticamente projetado em uma perspectiva "adultocêntrica", em geral um caminho linear (projetado em uma única direção), fragmentado e cumulativo (planejado em blocos que se sobrepunham), que ia das letras às famílias silábicas e dessas às palavras e frases, passando pela ortografia, até que se pudesse, efetivamente, ler e escrever.

FIGURA 6 – MODELO TRADICIONAL DE ENSINO: PROGRESSÃO NO DA LÍNGUA ESCRITA

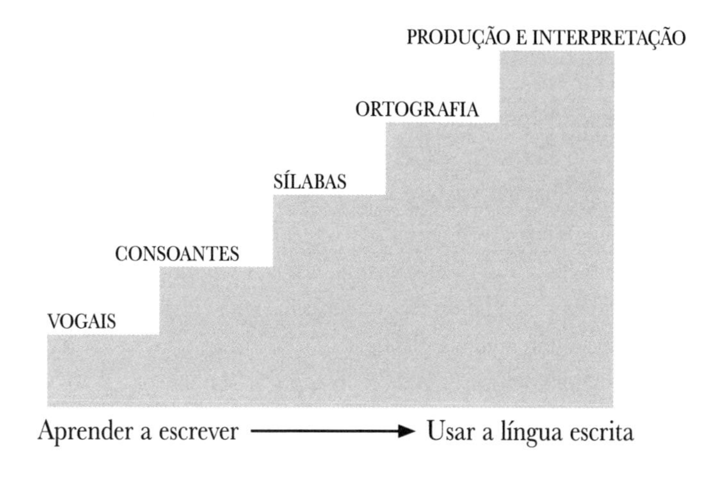

Nessa concepção, partia-se do princípio de que a aprendizagem da escrita precede a possibilidade de uso; a ênfase recaía na aquisição do sistema, como se o seu domínio fosse um pré-requisito para tudo dizer e compreender.

Entre as muitas críticas feitas a esse modelo alfabetizador (Colello, 2012, 2017a; Geraldi, 1993; Ferreiro, 1987, 2001b, 2002; Frigo, 2020; Góes e Smolka, 1995; Kaufman, 1995, 2020; Kramer, 1999; Lerner, 2002; Lucas e Colello, 2019; Rocha e Val, 2003; Siqueira, 2018; Siqueira e Colello, 2020; Soares, 1998; Weisz e Sanchez, 2002; Zaccur, 1999), vale lembrar as palavras de Paulo Freire (Freire e Shor, 1986, p. 134):

> [...] a escola está aumentando a distância entre as palavras que lemos e o mundo em que vivemos. Nessa dicotomia, o mundo da leitura é só o mundo do processo de escolarização, um mundo fechado, isolado do mundo onde vivemos experiências sobre as quais não lemos. Ao ler as palavras, a escola se torna um lugar especial que nos ensina a ler apenas "as palavras da escola" e não as "palavras da realidade". O outro mundo, o mundo dos fatos, o mundo da vida [...] não tem contato algum com os alunos da escola através das palavras que a escola exige que eles leiam. Você pode pensar nessa dicotomia como uma espécie de "cultura do silêncio" imposta aos estudantes. [...]

Para além das possíveis aprendizagens pré-escolares, o planejamento do ensino a partir do ensino fundamental deve romper com o ensino da língua como mecanismo de silenciamento; deve romper com a estrutura linear e predeterminada para levar em consideração a complexidade da alfabetização, isto é, as inúmeras frentes de processamento cognitivo que, como uma teia singular de inquietações, conquistas e reflexões linguísticas, superam a dimensão restrita do ler e escrever, permitindo a aquisição de diferentes competências e habilidades.

Entre tantos eixos de aprendizagem que integram a formação do sujeito leitor e escritor no ensino fundamental, é possível aprofundar as frentes de conhecimento empreendidas pelas crianças até então e, ainda, ampliar as esferas de reflexão, tais como (Colello, 2012 e 2014):

- a maior compreensão da representação simbólica;
- a relação todo-partes na escrita e a sistematização das variáveis quantitativas e qualitativas – hipóteses conceituais descritas por Ferreiro e Teberosky (1984, 1986);
- o fortalecimento da consciência fonológica;
- a atribuição de sentidos por estratégias de leitura subliminar;
- a relação entre leitura e escrita ou entre imagens e textos;
- a especificidade de diferentes gêneros textuais, assim como a possibilidade de transitar entre eles;
- o posicionamento interlocutivo e responsivo, visando modos de ajustamento do texto aos leitores previstos ou ao propósito comunicativo;
- a articulação, na leitura, dos elementos internos do texto (coesão e coerência), paralelamente à recuperação da intertextualidade temática (o mesmo assunto tratado em diferentes textos ou canais de comunicação);
- o conhecimento das convencionalidades e arbitrariedades linguísticas (noções de ortografia, gramática e sintaxe);
- a sistematização dos mecanismos de busca de informações, de comparações ou de manipulação temática em diferentes textos;
- as estratégias de edição, formatação e divulgação de textos, visando à apropriação das tecnologias da escrita;
- o posicionamento em face de diferentes níveis de linguagem e dos modos de transitar entre a oralidade e a escrita;
- os conhecimentos mais técnicos sobre os suportes de escrita e leitura;
- a circulação nos universos letrado e literário.

A pluralidade e a complexidade dos caminhos para ensinar a língua escrita justificam o desafio dos professores para criar ambientes e mediar situações que, aproximando-se de contextos reais do uso da língua e, ao mesmo tempo, valendo-se de planejamento, intencionalidade e sistematização da intervenção pedagógica, possam favorecer o processo de efetiva aprendizagem. É só assim que, parodiando Vygotsky (1988), poderemos substituir o ensino das palavras pelo efetivo ensino da língua escrita.

Para além do período escolar e das estritas responsabilidades dos educadores, é preciso ainda considerar casos de sujeitos formalmente alfabetizados que, vivendo em ambientes de baixo letramento e com poucas oportunidades de usufruir das práticas de escrita, tendem a involuir para a condição de analfabetismo funcional, isto é, para o estado de não poder lidar com situações práticas de leitura e escrita.

> O que ocorre nos países de Terceiro Mundo é que se alfabetizam crianças e adultos, mas não lhes são dadas as condições para ler e escrever: não há material impresso posto à disposição, não há livrarias, o preço dos livros e até dos jornais e revistas é inacessível, há um número muito pequeno de bibliotecas. Como é possível tornar-se *letrado* em tais condições? Isso explica o fracasso das campanhas de alfabetização em nosso país: contentam-se em ensinar a ler e escrever; deveriam, em seguida, criar condições para que os alfabetizados passassem a ficar imersos em um ambiente letrado, para que pudessem entrar em um mundo letrado [...]. (Soares, 1998, p. 58, grifos da autora)

É nessa perspectiva que o alfabetizar letrando merece ser visto como um projeto pedagógico e político de longo prazo na sociedade democrática: antes, durante e depois da escolaridade. Antes, porque não se podem desconsiderar os conhecimentos informalmente adquiridos das crianças que chegam à escola. Durante, porque é a prática social de escrita que deve dar sentido às reflexões sobre a língua travadas na escola. Depois, porque tão importante quanto aprender a ler e escrever é ter, para toda a vida, oportunidades de ler e escrever, não só para responder às exigências funcionais da língua (votar, assinar documentos, atender às demandas mínimas de locomoção e de qualificação profissional), como também para ter acesso ao universo da literatura e dos legados histórico-culturais da humanidade.

10. Quando se inicia a aprendizagem da leitura e da escrita?[15]

No final do século XIX, alguns educadores, observando práticas familiares de leitura e escrita, já reconheciam nelas processos informais e precoces de aprendizagem infantil. Esse é o caso da professora estadunidense Harriet Iredell (*apud* Goodman, 1995, p. 11-12), que em 1898 escreveu:

> Harold [3 anos de idade] traz o livro e diz: "Eu leio uma história", e, virando as páginas e seguindo o texto com os olhos, improvisa, ao mesmo tempo, uma história que é um composto do que tem ouvido e de sua própria imaginação. Harold está aprendendo a ler.
> Uma carta foi recebida, lida e discutida por vários membros da família. Quando colocada sobre a mesa, Harold a toma. Olha toda ela e dá voltas, pensativo, com ela debaixo do braço. Pouco depois, virando o lado branco da folha, diz ele: "Quero escrever". [...] A seguir, leva ele a folha rabiscada para a avó, com o pedido de que ela leia. Ela vacila? Que nada! Lê prontamente as frases que ele possa ter expresso [*sic*], para sua grande alegria e satisfação. Ele está aprendendo a escrever.

Nessa época, a constatação sobre o processo de aprendizagem em curso no ambiente familiar era surpreendente, porque, até então, os educadores "não tinham olhos" para compreender os rabiscos das crianças que procuravam reinventar a escrita, tampouco as tentativas de leitura, interpretação e produção de sentidos.

---

15. A primeira e reduzida versão deste trabalho foi apresentada no 18º Congresso de Leitura do Brasil (Cole). Posteriormente, foi publicada nas revistas *Leitura: Teoria & Prática*, ano 30, n. 58, suplemento especial, 2012, e *International Studies on Law and Education*, n. 15, set.-dez. 2013. O texto, revisto e atualizado, integra a presente obra pelo interesse do estudo de caso na compreensão dos processos cognitivos vinculados à língua escrita no período pré-escolar.

As evidências da aprendizagem pré-escolar não chegaram, contudo, a afetar as concepções de ensino, muito menos as práticas da alfabetização. Lembrando a "cegueira" de professores que, desprovidos de uma teoria explicativa, desconsideravam as experiências letradas do aluno, Weisz e Sanchez afirmam (2002, p. 19):

> Não havia conhecimento científico acumulado que [...] permitisse superar um ponto de vista "adultocêntrico": a forma pela qual se costuma conceber a aprendizagem de crianças a partir da própria perspectiva do adulto que já domina o conteúdo que quer ensinar. Desta forma não é possível compreender o ponto de vista do aprendiz, pois não se pode "enxergar" o objeto de seu conhecimento com os olhos de quem ainda não sabe.

Recuperar a gênese da alfabetização significa admitir que a aprendizagem da língua escrita (como vimos nos Capítulos 2, 7 e 9) não se limita ao contexto da sala de aula, embora possa ter na escola um espaço privilegiado graças às metas formalmente assumidas, o planejamento e a sistematização do processo. Tampouco tem data certa para se iniciar, o que necessariamente reconfigura os princípios e práticas de ensino. Ora, se a alfabetização se inicia antes do ensino formal e sistematizado, importa questionar: como compreender as primeiras manifestações de escrita? Como o fato de reconhecê-las pode afetar as concepções docentes sobre a língua escrita? Que condições favorecem a construção da língua escrita na vida pré-escolar? Que implicações elas trazem para as práticas da alfabetização?

Com o objetivo de aprofundar o entendimento dessas questões, o presente capítulo justifica-se como mais uma iniciativa para fundamentar a articulação entre o processo de aprendizagem e as práticas de ensino, tal como, já na primeira metade do século XX, propunha Luria (1988, p. 144): "Se formos capazes de desenterrar essa pré-história da escrita, teremos adquirido um importante instrumento para os professores: o conhecimento daquilo que a criança era capaz de fazer antes de entrar na escola, conhecimento a partir do qual eles poderão fazer deduções ao ensinar seus alunos a escrever".

COMO COMPREENDER AS PRIMEIRAS MANIFESTAÇÕES DE ESCRITA?

Para a análise dessa questão, consideremos o exemplo a seguir – uma folha de papel com inscrições de Bruno, de 4 anos e 2 meses:

FIGURA 7 – PRIMEIRA ESCRITA ESPONTÂNEA DE BRUNO

Tomada em si, a produção parece pouco elucidativa; poderia até ser vista como uma porção de rabiscos, um arremedo de escrita. A não legibilidade do conjunto poderia justificar a desvalorização do trabalho do menino: os traçados, entendidos como um exercício motor sem significado; a exploração livresca do lápis no papel, a imitação inconsequente de um procedimento adulto. Pela sua forma não convencional, a produção poderia ser simplesmente classificada como "não escrita", interpretação que, a despeito dos estudos realizados desde a primeira metade do século XX, prevaleceu entre os educadores até o início dos anos 1980, quando pesquisas nas áreas de ciências linguísticas, educação e psicologia chegaram ao Brasil e revolucionaram a compreensão que se tinha sobre os processos cognitivos ligados à alfabetização.

Desde 1925, os trabalhos liderados por Vigotski, fundados no referencial histórico-cultural[16], dão especial ênfase à relação do sujeito com o seu mundo, evidenciando o desenvolvimento de formas intelectuais do comportamento humano (funções psicológicas superiores), progressivamente configuradas como sistemas funcionais em um contexto historicamente situado. Com base nesse referencial, destacam-se estudos (Luria, 1988; Vygotski,

16. Como a publicação das obras de Vigotski foi suspensa na União Soviética no período de 1936 a 1956, o conjunto dos trabalhos realizados permaneceu ignorado no Ocidente até meados do século XX.

2000) sobre a pré-história da escrita, os quais desafiavam crianças que ainda não sabiam escrever a se lembrar de um certo número de sentenças lidas, sugerindo que elas usassem quaisquer marcas como recurso auxiliar da tarefa. Suas conclusões permitem afirmar que o lápis e o papel, que um dia foram objetos de interesse da criança para simples jogo e manipulação, acabam ganhando um significado instrumental, assumindo formas diferenciadas para se atingir outro objetivo em um dado contexto, por exemplo auxiliar a memória ou marcar uma ideia. Em resposta aos apelos da situação experimental (ou aos apelos do próprio mundo), o sujeito vai se mobilizando na direção de comportamentos mais complexos; no caso, a escrita de uma determinada forma, funcionando como mediador para outros objetivos assumidos pelo sujeito.

Nos anos 1970, a teoria construtivista de Piaget, e particularmente a sua concepção do homem como sujeito cognitivamente ativo e curioso em face da realidade, fundamentou as pesquisas de Ferreiro e Teberosky (1984 e 1986) sobre a psicogênese da língua escrita. Usando o método clínico, as pesquisadoras exploravam situações em que crianças pequenas (não escolarizadas ou pouco escolarizadas) eram instigadas a ler e a escrever. A análise de suas produções permitiu comprovar que elas eram capazes de lidar com a escrita enquanto objeto cultural a ponto de se colocarem efetivos problemas sobre os modos de inscrição e representação, bem como de criar hipóteses legítimas sobre o seu funcionamento e construir verdadeiros sistemas interpretativos sobre a língua escrita.

Assim, por diferentes referenciais teóricos (construtivista e histórico-cultural), foi possível encontrar pontos de consonância em distintos aportes e dar mais consistência ao que, antes, era percebido apenas esporadicamente em cenas da vida cotidiana. Pela primeira vez na história, os educadores puderam assumir, compreender e fundamentar a aprendizagem da escrita já na fase pré-escolar e, mais que isso, admitir a importância desse processo para o ensino formal. A esse respeito, as palavras de Luria (1988, p. 143) parecem significativas: “A história da escrita na criança começa muito antes da primeira vez em que o professor coloca um lápis em sua mão e lhe mostra como formar letras”. Na mesma linha de argumentação, Ferreiro afirma que “as crianças de todas as épocas e de todos os países [...] nunca esperam completar 6 anos e ter uma professora à sua frente para começarem a aprender” (1987, p. 65).

Com a intenção de evidenciar os procedimentos cognitivos na construção da língua escrita, os referidos autores partilham os mesmos princípios investigativos que ainda hoje nos dão a base para compreender as primeiras manifestações da escrita: a suspensão de ideias preconcebidas e a disponibilidade para enxergar o outro em seus processos de construção cognitiva.

Suspender a percepção imediata e, por vezes, as explicações cristalizadas na cultura psicopedagógica configura-se como um esforço do pesquisador que se propõe a desvendar o ponto de vista da criança, tomando-a como sujeito ativo que reage inteligentemente aos apelos do mundo a partir dos referenciais do seu contexto cultural. Assim, superando uma perspectiva tipicamente escolar de avaliar os conhecimentos das crianças com base em um saber convencional para conferir a medida da sua ignorância (olhar o aluno pelo que lhe falta), o esforço investigativo pressupõe colocar-se no lugar do sujeito-aprendiz para compreendê-lo na relação com o processo de construção cognitiva.

A esse respeito, Ferreiro (2001a, p. 29) lembra que "[...] o adulto que interroga já não é quem sabe, mas quem quer saber", condição que circunscreve a relação adulto-criança em um verdadeiro diálogo intelectual com espaço para o imprevisto e o inusitado. Nas palavras de Luria (1988, p. 148), é preciso se colocar em "[...] condições de observar toda uma série de pequenas invenções e descobertas feitas por ela [a criança], dentro da própria técnica, que a capacitavam gradualmente a aprender a usar este novo instrumento cultural".

O consenso sobre tal postura orienta uma nova compreensão das primeiras manifestações escritas de nossos alunos. Assim, é possível voltar ao exemplo de Bruno: a mesma produção, mas, agora, com um olhar ampliado. Um olhar calcado na convicção de que é preciso superar o entendimento da escrita como uma produção em si (os rabiscos feitos no papel), o que nos convida a buscar, no trabalho do menino, seu contexto e seu objetivo; seus critérios de interpretação para as marcas feitas; seus saberes implícitos que subsidiam as "pequenas invenções" no processo de produção; suas iniciativas de construção cognitiva, verdadeiras comprovações do sujeito inteligente que reage ao mundo.

O CASO DE BRUNO

No dia de Natal, Bruno, logo após receber o seu presente, sente-se injustiçado por ter ganhado menos brinquedos que a irmã, Camila. Então, o menino decide escrever um bilhete que entrega à mãe. Trata-se, portanto, de uma escrita espontânea e contextualizada, com propósito claramente definido.

Ao ser questionado sobre o conteúdo daquela produção, Bruno vai se "ancorando" em marcas específicas do texto para ler sem hesitar: "Eu estou muito bravo porque a Camila ganhou muitos presentes e eu só ganhei um". Indicando a inscrição da última linha, acrescenta: "Assinado, Bruno". A figura a seguir ilustra mais detalhadamente a interpretação feita pelo garoto:

FIGURA 8 – PRIMEIRA ESCRITA ESPONTÂNEA DE BRUNO COM MARCAS DE INTERPRETAÇÃO

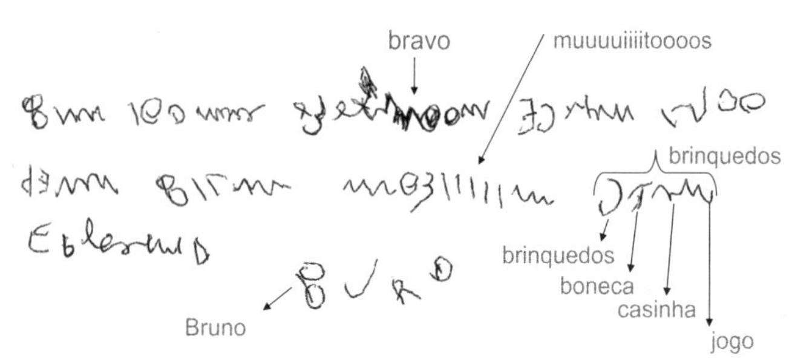

"Eu estou muito bravo porque a Camila ganhou muitos brinquedos e eu só ganhei um".

Bruno

Ainda que no nível pré-silábico, apenas com esboços de letras convencionais e sem correspondência precisa entre leitura e escrita, o texto e a leitura feitos por Bruno revelam, no plano discursivo[17], conhecimentos significativos do mundo letrado:

17. Na análise de produções textuais, Kaufman (1995) distingue teoricamente (sabendo que na prática aparecem juntos) os planos discursivo e notacional. O primeiro, vinculado ao conhecimento da própria língua, diz respeito ao conteúdo e à organização de um certo modo de dizer; o segundo, dependente do conhecimento do sistema de notação alfabética, está mais ligado à notação das letras e palavras, com base em regras ortográficas. Na prática do sujeito que escreve, as decisões acontecem de modo recursivo na medida em que ele desenvolve seu trabalho, planejando, textualizando, revisando e voltando a plane-

- O conhecimento do "gênero bilhete", em sua função e seus significados sociais: a transmissão de um comunicado (no caso, o registro de uma queixa) e a provável convicção de que um documento "por escrito" tem mais força de reivindicação do que uma reclamação oral.
- A personalização do documento explícita na assinatura, não só marcando a autoria de modo compatível com o gênero em questão (a "assinatura" ao final do texto) como também tornando concreta e personalizada a queixa de alguém que espera uma resposta.
- A construção de uma frase completa, sem omissões nem subentendidos, caracterizando-se como linguagem socializada mais próxima da língua escrita (um verdadeiro "argumento reivindicatório"!).

No plano notacional, o texto comprova também importantes saberes sobre o sistema da escrita:

- A direção da escrita e da leitura da esquerda para a direita, no sentido horizontal da linha.
- O caráter aleatório (não figurativo) da escrita, mostrando que Bruno entende a escrita como representação simbólica e, ainda que não possa manejar o sistema em processos de codificação e decodificação, já é capaz de distinguir imagens ou desenhos das marcas típicas da escrita.
- O conhecimento e a tentativa de reprodução de algumas letras convencionais, sugerindo certa experiência com as escritas de fôrma (B, U, R, O e E), cursiva (possivelmente as letras M, E e L) e imprensa (D, R e E).
- A compreensão de que a escrita é construída por unidades e blocos: a associação de letras para formar palavras e de palavras para formar textos, o que ficou evidente tanto pela leitura como pela segmentação do texto.
- O conhecimento da maior parte das letras de seu próprio nome, que é parcialmente reproduzido de memória, embora não na sequência correta.

---

jar, uma operação dinâmica até que a redação se complete. A escrita de Bruno coloca em evidência a simultaneidade desses dois planos de operacionalização da escrita.

Finalmente, ainda no plano notacional, Bruno dá mostras de suas "pequenas invenções" na forma de hipóteses que se configuram como recursos explicativos acerca do funcionamento do sistema de escrita; recursos esses que também favorecem a ancoragem para a leitura. São hipóteses inusitadas, mas tecnicamente possíveis (e por isso compreensíveis) por uma "certa lógica" criada pelo garoto:

- A tentativa de conciliar os traçados não figurativos (próprios da escrita convencional) com a necessidade de imprimir na palavra uma marca semântica, como é o caso do termo "bravo", grafado a fim de ressaltar a intensidade afetiva. Ainda que inusitada, essa estratégia encontra mecanismos correspondentes na escrita convencional, por exemplo o uso de negrito e sublinhado para marcar ênfase.
- A tentativa de estabelecer uma correspondência entre a oralidade e a escrita (mais uma vez, para marcar a ênfase pretendida), como é o caso do traçado com repetição de caracteres feito para representar "muuuiiiitooos", recurso também usado na escrita convencional, por exemplo no caso de propagandas ou de histórias em quadrinhos.
- A tentativa de interpretação da palavra "brinquedos" (lida por Bruno no conjunto da palavra e também no seu primeiro caractere), seguindo uma "lógica" de que, pela pluralidade semântica, o termo "brinquedos" deve incorporar na sua inscrição os vários brinquedos em questão (boneca, casinha e jogo).

Na continuação do episódio, a mãe do menino, baseando-se no critério do custo dos brinquedos, tenta explicar a "equivalência" na distribuição dos presentes ("Você e a Camila ganharam igual"). Sem compreender o princípio de paridade (o critério econômico no custo dos presentes), o menino resolve usar novamente a escrita, agora para fazer um balanço quantitativo dos presentes:

FIGURA 9 – SEGUNDA ESCRITA ESPONTÂNEA DE BRUNO

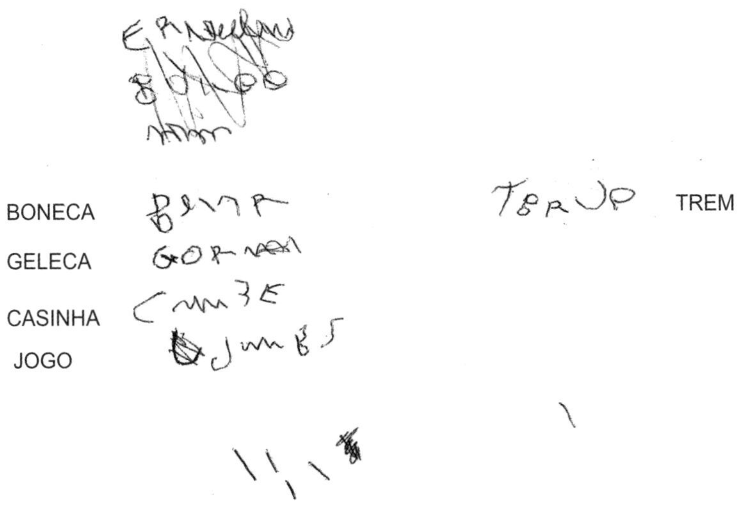

BONECA

GELECA

CASINHA

JOGO

TREM

Bruno inicia sua produção listando os presentes de Camila, mas logo perde o controle do que foi registrado e por isso risca "as palavras" no alto da página à esquerda. Em face dessa dificuldade, busca uma estratégia mais sistemática: consultando na caixa dos presentes a primeira letra de cada brinquedo, vai registrando, um a um, os presentes da irmã, que são "escritos" do lado esquerdo da folha (B para "boneca"; G para "geleca"; C para "casinha" e J, escrito e retificado, para "jogo"). Já o que ele ganhou é grafado separadamente do lado direito (a palavra "trem", iniciada pela letra T). Ao final de cada lista, faz corresponder o número de palavras às marcas da parte inferior do papel, com a clara intenção de representar o número de presentes, evidenciando assim a desigualdade na quantidade (4 *versus* 1).

Nessa escrita, reforçando o mesmo propósito social de "denunciar a injustiça" cometida pela mãe, o menino se vale de outro gênero: se o bilhete estava a serviço de uma denúncia e da expressão do sentimento de braveza (um embrião de texto argumentativo), a segunda produção foi orientada pela necessidade de demonstrar o desequilíbrio do número de presentes recebidos (um embrião de escrita contábil). Trata-se, pois, de um "registro quantitativo" que, no plano notacional, recorre tanto ao mecanismo de controle das letras para listar os brinquedos, como à colocação de marcas de quantidade; e, no plano discursivo, opta pela organização espacial que favorece a comparação do número de presentes (disposição, lado a lado, das duas listas de brinquedos) como "evidência" da desigualdade.

Os esforços de Bruno para compreender o sistema reinventando a escrita e a constatação de suas aprendizagens corroboram as conclusões de inúmeras pesquisas sobre a alfabetização no âmbito familiar (Ferreiro e Teberosky, 1984, 1986; Goodman, 1995; Purcell-Gates, 2004; Luiz, 2020). Mais do que conhecimentos específicos sobre o sistema e os modos do dizer em diferentes gêneros, as crianças descobrem que a escrita é um sistema simbólico a serviço da comunicação de ideias e da interação entre as pessoas. É no contexto das funções sociais que a escrita ganha sentido, fomentando a disponibilidade para aprender.

A esse respeito, Bruno dá mostras claras de que é possível ser um usuário da língua antes mesmo do ensino ou da aprendizagem formais. Transitando entre diferentes "gêneros textuais" (no caso, o "bilhete" e o "registro contábil"), a redação (concretizada com base em hipóteses de representação, estratégias notacionais e discursivas) foi produzida como posicionamento ativo do garoto em face de um dado problema pelo uso da língua em uma perspectiva discursiva: alguém que escreve para outrem com um certo propósito e conhecimento de mundo.

COMO AS PRIMEIRAS MANIFESTAÇÕES DE ESCRITA AFETAM AS CONCEPÇÕES DOCENTES SOBRE A LÍNGUA ESCRITA?

O entendimento das produções de Bruno como efetivas manifestações linguísticas (e, ao mesmo tempo, como evidência de processo cognitivo) redimensiona a nossa compreensão sobre a língua escrita, fazendo emergir questionamentos sempre recorrentes: o que caracteriza a língua escrita? O que ensinamos quando ensinamos a ler e escrever?

O que transforma um conjunto de marcas em um sistema linguístico é justamente o reconhecimento da sua função social enquanto sistema simbólico de representação da fala. Isso coloca a criança em condições de se debruçar sobre esse objeto cultural para buscar a sua lógica estruturante, tomando como base as informações recebidas do meio. É o que explica Ferreiro (2001b, p. 10-11):

> Essas marcas [a escrita no meio social] são obscuras, até que um intérprete mostra para a criança que elas têm poderes especiais: apenas

> olhando-as produz-se linguagem. Uma linguagem certamente diferente da linguagem que se usa face a face [...]. Quem lê fala para outro, mas o que diz não é sua própria palavra, mas a palavra de um "Outro" que pode desdobrar-se em muitos "Outros", saídos não se sabe de onde, ocultos também atrás das marcas. Somente as práticas sociais de interpretação permitem descobrir que essas marcas sobre a superfície são objetos simbólicos; somente as práticas sociais de interpretação transformam--nas em objetos linguísticos.

O exemplo de Bruno, assim como o de tantas outras produções e interpretações (pseudoescritas e pseudoleituras) de crianças na fase pré-escolar, evidenciam que, sobretudo em contextos urbanos, a descoberta desse "outro que fala" por intermédio de escritas emerge de situações sociais de efetivo uso linguístico, isto é, de experiências letradas. Por isso, para a autora, a intenção de produzir ou de interpretar textos já se configura como procedimento de escrita e leitura.

Segundo Luria, o nascimento da escrita não se dá pela intenção de escrever, mas pela produção com um certo propósito assumido pelo sujeito. Ao compreender a origem da escrita pelo vínculo funcional com a resolução de um problema, ele destaca o papel instrumental da escrita constituído no contexto das situações vividas: "O escrever pressupõe, portanto, a habilidade para usar alguma insinuação (por exemplo, uma linha, uma mancha, um ponto) como signo funcional auxiliar, sem qualquer sentido ou significado em si mesmo mas apenas como uma operação auxiliar" (Luria, 1988, p. 145).

Seja pela intenção de produzir ou interpretar marcas (como afirmam Ferreiro e Teberosky), seja pela possibilidade de uso funcional dos traçados (como defendem Luria e Vigotski), parece certo que a língua escrita se caracteriza pela sua função social, como contar histórias, fazer contabilidade, registrar pensamentos e garantir a memória.

Admitir que não existe escrita fora de um contexto de uso significa, em primeiro lugar, compreender a língua na perspectiva de Bakhtin (1988): como um sistema necessariamente vinculado às pessoas que o produzem e aos contextos que lhe dão sentido. E, se não há um sistema pronto e *a priori*, há um constante processo de construção linguística que persiste de modo intermitente no grande diálogo entre os homens. No caso de Bruno, há o trabalho de construção linguística que, com recursos próprios, é usado para denunciar uma injustiça, defender a sua causa e justificá-la. Em termos práticos, podemos dizer que o "bilhete" e o "registro contábil" feitos pelo menino não existem dissociados dele ou das possíveis leituras feitas por seus interlocutores, nem da situação que explica os seus propósitos. Como se pode observar, a produção de Bruno, assumindo um caráter dialógico, incorpora valores (o esperado princípio de equidade na distribuição de presentes), práticas sociais (a escrita como meio de comunicação, reinvindicação e justificação de ideias) e, ainda, espera uma reação ou tomada de atitude.

Admitir que não existe escrita fora de um contexto de uso significa, em segundo lugar, repensar o que ensinamos quando ensinamos a ler e escrever. De fato, em face desse referencial (e das evidências já nas primeiras manifestações de escrita), não há como conceber o ensino a partir de unidades sem significado ou propósitos (como sílabas ou palavras descontextualizadas), nem como um conjunto de regras gramaticais capazes de esgotar, em estruturas prévias e prefixadas, as possibilidades do dizer. Ensinar a escrita é favorecer a integração do sujeito aos processos dinâmicos da própria língua em inúmeras possibilidades de uso; é garantir a participação dele nos processos interativos do seu mundo, inclusive nas práticas de reflexão sobre a própria língua (Coelho, 2009; Colello, 2010, 2012, 2017a e b; Geraldi, 1993, 2014; Kaufman, 1995; Goulart, Gontijo e Ferreira, 2017; Lerner, 2002; Rocha e Val, 2003).

QUE CONDIÇÕES FAVORECEM A CONSTRUÇÃO DA LÍNGUA ESCRITA NA VIDA PRÉ-ESCOLAR?

As produções de Bruno, como tantas outras de crianças pré-escolares, nos levam a questionar as condições que favorecem a construção da língua escrita. Afinal, de onde vêm os conhecimentos implícitos em seus textos?

No Brasil, sobretudo a partir da década de 1990, os estudos sobre o letramento (Arantes, 2010; Colello, 2004a e b, 2010; Kleiman, 1995; Leite, 2001; Mortatti, 2004; Ribeiro, 2003; Rojo, 2009; Smolka, 2008; Soares, 1991, 1998, 1999, 2020; Tfouni, 1995) vêm discutindo as práticas sociais de escrita e suas implicações conceituais e metodológicas no processo de alfabetização. No conjunto de trabalhos, parece haver um consenso de que as experiências de leitura e escrita vividas pelo sujeito antes, durante e depois do processo de escolarização são decisivas para o sucesso da aprendizagem e para o vínculo que as pessoas estabelecem com as práticas de escrita.

Ao interagir com a língua escrita como objeto cultural (por exemplo, ouvindo leituras, ditando um bilhete para um parente, buscando compreender histórias em quadrinhos ou as regras de um jogo), a criança tem a oportunidade de entender as funções da escrita, distinguir os diferentes gêneros e tipos de texto, conhecer as características dos portadores de texto, familiarizar-se com a língua tipicamente escrita (em oposição à oralidade) e até criar hipóteses para explicar o seu funcionamento. Tem também a chance de se tornar usuária do sistema mesmo antes de compreender o seu funcionamento, inserindo-se progressivamente nas práticas letradas de seu mundo.

Ao comparar estudos sobre a alfabetização inicial em diferentes comunidades, classes sociais e práticas familiares, Purcell-Gates (2004) enfatiza que o fator decisivo para a qualidade dessa aprendizagem é a natureza das experiências vividas. Assim, em oposição às iniciativas de famílias que, no intuito de ajudar seus filhos, antecipam práticas escolarizadas de leitura e escrita (em geral, mecânicas e descontextualizadas, como a cópia e os exercícios de caligrafia), as crianças tendem a avançar mais quando: 1) são submetidas informalmente ao contato com textos complexos e variados; 2) são estimuladas a participar de situações de leitura, fazendo perguntas, antecipações, comentários e comparações, em vez de apenas escutar ou copiar letras; 3) são introduzidas em atividades efetivas de comunicação e uso funcional da escrita. Em outras palavras, mais que o contato com a língua escrita, o que verdadeiramente importa é o que se faz com ela ou a partir dela.

Em consequência dessas possibilidades de vivência letrada, instaura-se no indivíduo uma condição que, no plano cognitivo, garante referências e saberes prévios fundamentais para a continuidade e o aprofundamento do processo de aprendizagem; no plano psicológico, fortalece a motivação para o empreendimento de tal esforço intelectual e, finalmente, no plano sociocultural e até afetivo, justifica as razões para aprender e usar a língua escrita.

Considerando a complexidade dos fatores que interferem na aprendizagem pré-escolar da escrita, Smolka (2008), Ferreiro e Teberosky (1986), representantes de duas diferentes linhas teóricas (histórico-cultural e construtivista), afirmam que a experiência da criança na interação com o mundo e as características letradas do seu meio são decisivas para a alfabetização. Daí a relação entre condições de vida, formas de interação, funções assumidas nas práticas da língua, valores sociais a ela atribuídos, qualidade do ensino e modos de aprendizagem.

Quando se compreendem as implicações do processo de letramento para a aprendizagem formal da escrita, torna-se possível desvendar um dos maiores mitos da escola tradicional: a concepção da alfabetização, a partir de um "estágio zero de conhecimento", como processo linear e cumulativo, controlado passo a passo pelo professor (ou pelo método de ensino), em uma progressão calculada supostamente do fácil para o difícil. De fato, tendo em vista a complexidade dessa aprendizagem nas diferentes frentes de construção cognitiva (Colello, 2012, 2014), a partir de diversos fatores, experiências e valores socioculturais, não é possível fixar os percursos individuais de aprendizagem nem pressupor os desafios a ser enfrentados por diferentes sujeitos. O percurso de construção de um conhecimento específico – como o caso da microgênese da língua escrita – é, necessariamente, singular.

É por isso que, em uma sala de 1º ano do ensino fundamental, em que todos os alunos se mostram incapazes de ler e escrever convencionalmente, existe apenas uma falsa aparência de homogeneidade. Ainda que analfabetos, indivíduos como Bruno trazem consigo uma história de experiências letradas que abrevia seus percursos cognitivos quando em comparação com o processo daqueles que não tiveram as mesmas oportunidades. Se os professores pudessem se perguntar sobre as práticas sociais letradas de seus alunos, eles compreenderiam que o caso de Bruno é, de fato, a realidade de uma minoria privilegiada. Dessa perspectiva, compreender a diversidade das crianças pode significar o primeiro passo para um ensino inclusivo e democrático.

IMPLICAÇÕES DOS PROCESSOS PRÉ-ESCOLARES DE APRENDIZAGEM PARA AS PRÁTICAS DA ALFABETIZAÇÃO

No caso de Bruno, dois aspectos merecem destaque. Em primeiro lugar, a postura do menino que se lança à escrita – um objeto ainda não plenamente conquistado – sem inibição nem medo de errar. É nesse sentido que se pode falar na aventura das práticas linguísticas. No contexto de cada situação, uma folha de papel em branco pode representar um convite à produção, ao diálogo e à expressão de si; um livro pode ampliar horizontes e abrir as portas para mundos inimagináveis. Lamentavelmente – como muitas vezes ocorre na escola –, eles podem representar também tarefas incompreensíveis, exigências intransponíveis, fazeres mecânicos, cobranças que calam, aprisionam e travam o pensamento.

Em segundo lugar, vale a pena considerar na produção do menino a dimensão criativa do seu processo de conhecimento. É nesse sentido que se pode falar no encanto da aprendizagem, possibilidade nem sempre garantida pelas práticas de ensino. Na progressão dos anos escolares, é verdade que as crianças tendem a aprender mais e mais conteúdos na mesma proporção em que vão supostamente perdendo o gosto de aprender, arriscando-se cada vez menos na construção de novos saberes, novos olhares e novas interpretações de mundo (Colello, 2012).

Que escola é essa que, ao fim de nove anos do ensino fundamental, devolve à sociedade jovens apáticos e descompromissados, os mesmos que um dia ali ingressaram criativos, ávidos por novas aventuras e sem medo de aprender?

Revertendo tendências já cristalizadas pela cultura escolar, os educadores, hoje, estão sendo chamados a enfrentar um duplo desafio: evitar a exclusão e tornar a experiência escolar significativa, não só garantindo o saber considerado básico (o cumprimento da promessa curricular), mas também promovendo o acesso a outros espaços de cultura ou esferas de atividade, tais como museus, bibliotecas, exposições, espetáculos artísticos, tantas vezes apartados da maioria da população (Rojo, 2009). Romper as barreiras que separam escola e vida, produção do saber e uso da informação, aprendizagem e gosto pelo conhecimento não é um ponto de chegada, mas, antes de tudo, um ponto de partida. Trata-se de uma postura pedagógica que deveria acolher o aluno considerando a sua relação com os diferentes objetos culturais. Afinal, o que sabem e o que não sabem os alunos que hoje ingressam na escola? Como lidam com seus conhecimentos e que valores atribuem a eles? Como garantir a aprendizagem no contexto da diversidade?

Calcado nos aportes dos mais recentes estudos sobre a cultura escrita e o letramento, o esforço para a construção de uma escola de qualidade, ajustada às demandas do nosso mundo, parte desses questionamentos e, obviamente, remete a novos dilemas educacionais. No enfrentamento deles, parece fundamental que a necessária sistematização do conhecimento não se coloque na contramão da aventura linguística ou do encantamento da aprendizagem.

No caso da escrita, é bem verdade que a maioria das crianças se alfabetiza na escola e que a aprendizagem da língua convencional está fortemente atrelada aos processos de ensino. No entanto, os intrigantes (mas compreensíveis) casos de crianças que aprendem fora da escola ou daquelas que, mesmo ali permanecendo, nunca chegam a aprender sugerem que não é o contato com a escrita enquanto objeto escolarizado que garante a alfabetização, mas, como já se disse, a experiência significativa que permite a reflexão sobre o funcionamento da língua.

A esse respeito, vale lembrar que, em uma perspectiva educacional, ensinar a língua é mais do que "ensinar simplesmente uma língua como sistema fechado", pois aquele que se alfabetiza deve, simultaneamente, aprender a relatar, argumentar, estabelecer relações, depreender informações, interpretar o dito e o subliminar, dialogar por escrito, organizar ideias etc.

Dessa ótica, não podemos conceber os propósitos da alfabetização descolados do processo de formação humana. Perseguindo essa meta, as práticas de ensino merecem ser pensadas em nome da constituição do sujeito autor, leitor, intérprete e pesquisador, mas também (e principalmente), de um sujeito crítico, comprometido com a realidade e os dilemas de seu mundo (Colello, 2012, 2017a).

Para concluir, importa defender a escola como uma instituição vital para a construção da sociedade democrática. Quando constatamos que a compreensão dos processos cognitivos da criança pressupõe um efetivo diálogo intelectual entre professores e alunos; quando concebemos a natureza da língua escrita pela dimensão dialógica, que só faz sentido no contexto social; quando compreendemos as consequências dos processos de letramento na relação entre as experiências pessoais e as condições socioculturais; e quando entendemos o ensino como uma oportunidade de ampliar os recursos linguísticos com estratégias que respeitem os processos de cognição e de produção da língua, somos obrigados a recuperar a dimensão política da alfabetização. Ao garantir o direito à palavra, a aprendizagem da leitura e escrita pressupõe necessariamente uma perspectiva de luta contra a barbárie (Kramer, 1999). Por isso, além de repensar os rumos da educação, importa investir na distribuição dos bens culturais e na melhoria das condições de vida. Só assim podemos projetar o futuro de Bruno e de todos aqueles que, infelizmente, não tiveram as mesmas oportunidades para aprender.

11. A aprendizagem da língua escrita como constituição do sujeito interlocutivo[18]

O problema do analfabetismo funcional no Brasil é alarmante, sobretudo quando se comprova que sua ocorrência, mais comum nos casos de baixa escolaridade, estende-se, segundo os estudos do Indicador de Alfabetismo Funcional (Inaf), também aos muitos estudantes dos ensinos médio e superior. Isso comprova que o avanço da escolaridade não necessariamente garante o efetivo acesso ao mundo letrado. Embora esse não seja um problema exclusivamente escolar, é certo que o precário desempenho de muitas pessoas em leitura e escrita é também tributário da ineficiência das práticas pedagógicas.

Na cultura escolar disciplinarizada e enciclopedista, parece haver um abismo entre a aprendizagem do sistema de escrita e a possibilidade de interagir e de se comunicar usando as competências letradas (Britto, 2003; Colello, 2010, 2012; Geraldi, 1993; Góes e Smolka, 1995; Goulart, Gontijo e Ferreira, 2017; Ferreiro, 2002, 2013; Frigo, 2020; Leal, 2003; Leite, 2001; Lucas e Colello, 2019; Siqueira e Colello, 2020; Soares, 1998; Zaccur, 1999). Não raro, o processo de alfabetização se pauta pela concepção de que só aquele que conhece o sistema de escrita e as regras da língua pode ser um usuário da escrita. Em decorrência dessa postura, temos, no plano conceitual, a anulação das dimensões social (como se a escrita não tivesse interlocutores e propósitos previstos) e dialógica da língua (como se a produção textual não estivesse estreitamente vinculada à grande esfera das comunicações humanas); e, no plano prático, o ensino que inibe a motivação para aprender. "Nessas condições, o aluno não lê um texto pelo valor que ele pode ter ou em função de um interesse determinado, nem redige como um ato *interlocutivo* de fato, mas apenas como treinamento. Do mesmo modo, o professor não lê o texto, ele avalia a

18. Capítulo baseado no artigo intitulado "A aprendizagem da língua escrita e a constituição do sujeito interlocutivo". *International Studies on Law and Education*, n. 18, set.-dez. 2014, p. 15-24. Disponível em: <http://www.hottopos.com/isle18/15-24Silvia.pdf>. Acesso em: 29 dez. 2020.

produção do aluno em função de seus erros e acertos" (Britto, 2003, p. 166; grifo meu).

O que explica essa configuração pedagógica são as concepções reducionistas de língua (entendida como um código), de ensino (centralizado no conteúdo, no professor ou no livro didático) e de aprendizagem (como processo passivo de assimilação). Por isso, muitas práticas pedagógicas insistem em procedimentos mecânicos, descontextualizados e pouco significativos, que desconsideram tanto o contexto sociocultural dos alunos (seus valores e motivações e as práticas letradas de seu mundo) quanto suas experiências no mundo da escrita (saberes já conquistados em situações de efetivo uso da língua). Alguns professores se sentem despreparados para lidar com as turmas, numerosas e heterogêneas, pressupondo que todos os alunos deveriam reagir da mesma forma, apresentando produções equivalentes. Outros, apegados estritamente ao material didático ou a modelos estritos de como aprender, não têm clareza de como promover experiências plurais do ler e escrever. No que diz respeito à metodologia, prevalece, em muitas escolas, uma estrutura linear, que prevê e controla os passos de uma progressão cognitiva inflexível, não necessariamente compatível com o percurso e ritmo dos alunos (Colello, 2012; Frigo, 2020; Lucas e Colello, 2019; Luiz e Colello, 2020; Siqueira, 2018; Siqueira e Colello, 2020; Zaccur, 1999). Fazendo jus a esse cenário, os materiais de ensino, muitas vezes insuficientes ou inadequados, pecam também pelo seu caráter prescritivo e generalista, que, seguindo critérios do mercado editorial, pouco investem na relação funcional e reflexiva do indivíduo com a língua que se pretende ensinar.

A despeito do consenso que hoje paira entre os pesquisadores sobre a importância de se romperem as barreiras que separam a escola da vida, a assimilação de "novos" paradigmas é um processo lento, carregado de tensões e desafios. Ao lado das boas intenções de uma escola que, efetivamente, pretende alfabetizar em nome da cidadania e da emancipação dos alunos, persistem os mecanismos que favorecem o analfabetismo funcional: a progressiva imposição linguística associada a mecanismos de silenciamento, submissão e marginalidade (Bagno, 2003; Colello, 2004b, 2012, 2015; Dias, 2011; Gnerre, 1981). Nas palavras de Leite (2001, p. 15),

> apesar de inegáveis avanços teóricos na área da aquisição, domínio e usos da linguagem verbal escrita, as práticas docentes na grande maioria das

escolas brasileiras [...] continuam a reproduzir esquemas ultrapassados e esclerosados, quando não perniciosos e prejudiciais à aprendizagem significativa das letras. Eu até arriscaria dizer que, em alguns casos, os esquemas de ensino, de tão improvisados e artificiais, geram a morte paulatina do potencial que as crianças trazem consigo quando iniciam a sua trajetória escolar. Daí a frustração, o fracasso, a repetência e a própria exclusão.

No sentido de contribuir para os debates educacionais, importa compreender como tantos fatores condicionantes do fracasso incidem sobre um sujeito que, mesmo compreendendo o sistema alfabético, fica impedido de fazer uso funcional e criativo dele. Em outras palavras, qual é o divisor de águas que, no contexto das práticas de ensino, segrega alfabetizados plenos e analfabetos funcionais?

Partindo do pressuposto de que a alfabetização, mais do que uma aprendizagem técnica, vincula-se à constituição do sujeito interlocutivo, o presente capítulo pretende discutir a natureza dessa relação, evidenciando ainda como, ao desconsiderar tal condição, as práticas de ensino podem afetar a qualidade da produção textual já nos primeiros anos da escolarização.

O CONHECIMENTO E A ALFABETIZAÇÃO EM CONTEXTOS INTERLOCUTIVOS

Como vimos nos capítulos iniciais, o referencial histórico-cultural situa a alteridade como dimensão fundamental da constituição do conhecimento e da consciência. Para Vygotsky (1987), as funções superiores são gestadas nas práticas sociais em uma progressiva incorporação do mundo, que é mediada pela língua. Isso significa que é na interação com o outro que se estabelece o contato com os objetos de conhecimento e a constituição da consciência. O conhecimento é, assim, uma produção simbólica construída no espaço da intersubjetividade (a relação sujeito-sujeito-objeto). É no caldo dos discursos alheios que o sujeito transforma o plano interpessoal em intrapessoal e se assume como pessoa. Por isso, o que somos, conhecemos e acreditamos advém de muitos outros, em um arranjo inédito que marca a singularidade de cada um de nós. Essa postura redimensiona a compreensão da aprendizagem da língua, tal como explica Geraldi (1993, p. 179):

> Ao aprender a língua, aprende-se ao mesmo tempo outras coisas através dela: constrói-se uma imagem da realidade exterior e da própria realidade interior. Este é um processo social pois [...] é no sistema de referência que as expressões se tornam significativas. Ignorá-las no ensino, ou deixar de ampliá-las no ensino, é reduzir não só o ensino a um formalismo inócuo. É também reduzir a linguagem, destruindo sua característica fundamental: ser simbólica.

Na mesma linha de raciocínio, muitos autores (Britto, 2003; Colello, 2012, 2017a; Colello e Lucas, 2017; Frigo e Colello, 2018; Góes e Smolka, 1995; Goulart, Gontijo e Ferreira, 2017; Leal, 2003; Luiz e Colello, 2020; Nogueira, 2017; Smolka, 2008; Soares, 1999, 2003, 2020) defendem a alfabetização como um processo que, superando a aprendizagem da escrita das letras, implica a construção de sentidos necessariamente voltados para um interlocutor. Assim, a produção textual é uma proposta de compreensão que impõe ao sujeito o esforço de traduzir-se ao outro. Para isso, ele é obrigado a reorganizar a própria fala, considerando modos de dizer para um interlocutor distante, não necessariamente conhecido ou familiarizado com o seu contexto (Geraldi, Fichtner e Benites, 2006). Ao mesmo tempo, a leitura obriga o sujeito a deslocar-se do seu ponto de vista para "ler com o olho do outro", recriando sentidos e estabelecendo relações pela virtualidade desse encontro com o autor (Geraldi, 1993).

Nessa nova função de deslocamento dos planos individuais, as crianças lidam com o complexo fluxo entre o pensamento e a palavra, transformando o discurso interno para alcançar novas possibilidades de interlocução: a construção/interpretação de textos em uma perspectiva socializada própria da língua. Do ponto de vista do sujeito que escreve, esse deslocamento pressupõe a consciência de que, "se for para garantir a efetiva comunicação, eu não posso escrever do meu jeito ou de qualquer jeito". Longe de ser um processo objetivo direto e linear de transposição de saberes, o trabalho linguístico costuma implicar, tanto para a leitura como para a produção textual, uma profusão de operações cognitivas, como a consideração sobre o tema e sobre o interlocutor, a antecipação de sentidos, o estabelecimento e a comprovação de hipóteses, o reconhecimento dos gêneros e dos propósitos do texto, a articulação dos elementos internos do texto, a busca de mecanismos de planejamento e revisão da escrita. Tudo isso em nome da constituição do jogo interlocutivo, isto é, do estabelecimento das bases de referenciação e de interação social.

A alfabetização, em um sentido pleno, se faz pela reconfiguração dos modos de interagir e de se colocar no mundo na medida em que situa o sujeito na corrente comunicativa do universo letrado. A esse respeito, vale lembrar as palavras de Soares (1999, p. 61-62, grifos da autora), que, recuperando a concepção da língua como prática discursiva e dialógica de Bakhtin, situa a figura do sujeito no contexto dessa aprendizagem:

> [...] a escrita [...] é reconhecida como "enunciação", como "discurso", isto é, como forma de interlocução ("inter-locução"), em que quem fala ou escreve é um *sujeito* que, em determinado contexto histórico, em determinada situação pragmática, interage com um interlocutor, também ele um *sujeito*, e o faz levado por um objetivo, um desejo, uma necessidade de interação (*inter-ação*). A aprendizagem do uso da escrita, na escola, torna-se, pois, a aprendizagem de ser *sujeito* capaz de assumir a *sua* palavra na interação com interlocutores que reconhece e com quem deseja interagir, para atingir objetivos e satisfazer desejos e necessidades de comunicação.

No jogo interlocutivo, a "palavra alheia" torna-se a "minha palavra", que se transforma na "palavra para o outro" e pede resposta (Bakhtin, 1988, 1992). Longe das práticas reprodutivas, o ciclo discursivo se renova pelos arranjos únicos e irrepetíveis da contrapalavra de cada um, assim como pelas reações que dela advêm (concordâncias e discordâncias, críticas, comentários, complementações, dúvidas etc.).

Nesse sentido, o acesso ao mundo da escrita implica poder operar com os objetos culturais e com os discursos da cultura letrada, situando-se em um universo referencial. Afinal, "ninguém se assume como interlocutor a não ser em uma situação interlocutiva" (Geraldi, 1993, p. 161). Ao assumir a postura de efetivo interlocutor, o sujeito faz escolhas temáticas e busca estratégias do dizer (tipos de textos, gêneros e operações discursivas) que levam em conta não só as experiências linguísticas e os saberes acumulados, mas também os objetivos da escrita, o contexto comunicativo e a representação que se tem do interlocutor. Por isso, alfabetizar é ampliar os horizontes para que o sujeito tenha o que dizer, para quem dizer, por que dizer e como dizer (Geraldi, 1993). Em outras palavras, é preciso que o aluno se constitua como locutor para penetrar na corrente das interações típicas do mundo letrado e transitar entre elas. Indiscutivelmente, esse é o diferencial daqueles que, efetivamente, aprendem a ler e escrever.

AS ATIVIDADES DE ESCRITA E A PRODUÇÃO TEXTUAL

Sabendo que alguns tipos de texto são mais propensos ao posicionamento do sujeito autoral e que as condições de produção podem intensificar (ou fragilizar) o elo interlocutivo e favorecer (ou dificultar) o enfrentamento dos desafios do escrever, importa perguntar: como a natureza das atividades escolares pode interferir na produção textual das crianças? Que tipo de proposta favorece a exploração de conteúdos, de gêneros e de operações discursivas nos anos iniciais da escolaridade?

Em um estudo realizado com 30 alunos do ensino fundamental 1 (10 do 1º ano, 10 do 3º ano e 10 do 5º ano) de escolas públicas da periferia de São Paulo (Colello, 2015), procuramos compreender como eles reagem a diferentes propostas de produção textual. O grupo, proveniente de classes menos favorecidas, pertencente a famílias de baixa escolaridade e, em grande parte, em situação de subemprego, é representativo de grande parte da população brasileira.

A cada criança foram apresentadas duas propostas de escrita com diferentes apelos interlocutivos (contextualização da tarefa, envolvimento temático, propósito textual e previsão de interlocutor). Na primeira, feita individualmente com menor apelo interlocutivo, propusemos uma única questão: "Por que as pessoas vão para a escola?" Trata-se de uma tarefa fechada em si mesma, como se fosse apenas um trabalho a ser cumprido. Na segunda, feita em duplas para ampliar o potencial da interação e interlocução, buscamos envolver os sujeitos, sensibilizando-os para a problemática e a resolução de um problema centralizado em um personagem fictício, marcando claramente propósito e interlocutor. Para tanto foi apresentada a seguinte situação-problema: "Tenho um vizinho, chamado Marcelo, que tem a sua idade. Ele resolveu que não quer ir para a escola. Todas as pessoas da família já conversaram sobre isso com ele, mas o Marcelo não muda de opinião. Será que vocês poderiam ajudar a resolver esse problema? Como se pode observar, nessa proposta, os alunos são convidados a abandonar o estado de submissão de quem apenas cumpre uma tarefa formal para assumir a sua própria palavra, em uma relação de identificação e reciprocidade entre iguais (crianças com a mesma idade que, de acordo com a nossa cultura, devem frequentar a escola). Ainda que a consigna não tenha sugerido uma estratégia de como ajudar o Marcelo, a ideia de resolver o problema pela escrita, estabelecendo um canal comunicativo, foi unânime até mesmo para as crianças que pouco sabiam escrever. A via interlocutiva, tal como defendemos anteriormente, foi estabelecida por pessoas que têm o que dizer, para quem dizer, por que dizer (Geraldi, 1993) e, mais que isso, por crianças que vislumbram a escrita como compromisso na relação com o outro e como poder de transformação. A atividade ficou, portanto, marcada pelo envolvimento pessoal e pela motivação do propósito do trabalho, aspectos que favorecem a negociação de ideias e a postura responsiva dos sujeitos.

Na comparação entre as duas produções textuais, a constatação mais detalhada de diferenças até esperadas é especialmente oportuna para que se possa repensar as práticas de ensino. De modo geral, o que ficou evidente foi a considerável variação tanto nos arranjos linguísticos (a escolha dos tipos textuais, a construção de gêneros e de operações discursivas) como nos tratamentos do conteúdo.

OS ARRANJOS LINGUÍSTICOS NAS PRODUÇÕES TEXTUAIS

No que diz respeito ao arranjo linguístico, o trabalho de quem escreve consiste em situar a opção por gêneros (vinculados a esferas sociocomunicativas, como cartas, contos, reportagens jornalísticas) e por tipos textuais (entidades formais que caracterizam a narração, a descrição, a argumentação, a exposição e a injunção) em função da situação discursiva (Marcuschi, 2002). Como em toda comunicação, "o locutor serve-se da língua para suas necessidades enunciativas concretas" (Bakhtin, 1992, p. 78), e a construção linguística se faz necessariamente em um gênero, razão pela qual não é possível escrever (ou aprender a escrever) de modo global ou generalizado.

A produção textual propriamente dita é realizada por operações discursivas, isto é, propostas de compreensão feitas ao interlocutor, como os recursos de argumentação, condensação, exemplificação, esclarecimento, retificação, salvaguarda etc. (Geraldi, 1993). No contexto do ensino, Goulart (2003) esclarece que as solicitações de produção escrita "forçam" as crianças a gerar esses recursos expressivos para atender aos propósitos do texto. Seja nas situações de redação, seja nas de revisão, essas operações podem funcionar como importantes atividades epilinguísticas: buscar o modo de dizer ou de melhor dizer o que se quer dizer. Como produções vinculadas a um contexto específico, as operações discursivas dificilmente poderiam ser classificadas em categorias fixas e exaustivas. Por isso, a análise linguística requer a consideração dos textos a partir das intenções dos autores e das condições de produção.

Os exemplos a seguir[19] ilustram as opções de tipologia e gênero textuais construídas com base em algumas dessas operações e, ainda, favorecem a constatação das diferenças quantitativas e qualitativas entre as produções textuais de alunos do 3º ano para as duas atividades propostas:

Exemplo 1/primeira atividade (produção individual):

ESTUDAR
APRENDER
LER

Exemplo 2/segunda atividade (produção em dupla, que inclui o autor do exemplo anterior):

1 VOCÊ PODE CER AUGUEN NA VIDA.
2 CE VOCÊ IR A ESCOLA VOCÊ CONHECER MAIS COISA.
3 QUANDO VOCÊ NÃO QUISER IR A ESCOLA FALA PARA SUA MÃE QUE TEM GENTE TE CHINGANDO.
4 SE VOCÊ IR A ESCOLA VOCÊ VAI PRENDER MUITO A LER E ESCREVER.
5 CE VOCÊ IR A ESCOLA VOCÊ VAI APRENDE COISAS NOVA E VAI GOSTA E PODE COTAR PARA SUA MÃE.
6 CE ACON TECER ALGUMA COISA NO CEU 1 DIA DE VIA COTA PARA SEUS PAIS.
7 CE OS CRANDE JOGAR PAPEL NE VOCÊ E A PROFESSORA VER E DEIXAR VOCÊ DE CASTIGO FALA A VERDADE.
8 SE VOCÊ NÃO GOSTAR DO RECREIO FALA PARA DIRETORA

19. Os exemplos foram transcritos fiel e integralmente às produções feitas pelas crianças, respeitando-se, inclusive, a paragrafação e o tipo de letra utilizado. O segundo exemplo foi numerado para facilitar a análise da produção.

Com base em Marcuschi (2002), podemos situar o primeiro exemplo como um tipo de "texto expositivo", uma vez que a intenção do autor era a de apresentar informações que respondessem ao questionamento. Para tanto, lançou mão da "lista", gênero pouco funcional para quem pretende explicitar ideias. O texto escrito configurou-se como transposição da oralidade em que a "resposta direta e objetiva" funcionou como uma operação discursiva próxima da fala, sem necessidade de contextualização; aos olhos do aluno, ela já estava pressuposta. A escrita apareceu focada em núcleos semânticos de cada componente da resposta: o estudo, a aprendizagem e a leitura. No esforço para contemplar um interlocutor indefinido, o texto se consolidou como uma produção despersonalizada. A voz do aluno parece incorporar o discurso previsível do que é aceito e amplamente difundido no âmbito social: ir à escola para estudar e aprender, a língua como um objetivo indiscutível do ensino. Em estudo semelhante, inclusive pela temática da vida escolar, Leal (2003, p. 62) corrobora a interpretação dessa forma de dizer pela via da escrita, que "é muito mais o reflexo do que a escola quer ouvir, do que aquilo que o produtor do texto realmente pensa". Outra pesquisa, sobre as redações no vestibular da Fuvest (Castaldo e Colello, 2014), comprova que essa postura do sujeito-escritor – impessoal, descomprometida, que se limita à reprodução do "discurso pronto" – pode se perpetuar, inclusive, entre estudantes que concluíram a educação básica; uma clara evidência de que o modo como se ensina afeta a condição do autorar.

Com o propósito de convencer Marcelo a ir à escola, os alunos do segundo exemplo mesclaram os tipos textuais "argumentativo" e "injuntivo": o primeiro, pela pretensão de buscar uma negociação associando a escola a aspectos positivos; o segundo, pelo uso de imperativos que prescrevem comportamentos. Para tanto, assumiram o gênero de "diálogo argumentativo", texto que se volta diretamente para alguém e traz marcas de uma postura dialógica. Como estratégias linguísticas, os autores lançaram mão tanto de argumentações para situar aspectos positivos (1, 2 e 5) quanto de argumentações que, prevendo problemas, apontam possibilidades de encaminhamento ou de soluções (3, 6, 7 e 8).

Nesse caso, fica evidente o arranjo feito pelos autores, ora incorporando as vozes sociais (ser alguém na vida, conhecer coisas, aprender a ler e escrever, aprender coisas novas), ora trazendo referências dos próprios autores sobre as dificuldades na escola (alunos que xingam e jogam papéis, ocorrências supostamente negativas no primeiro dia de aula ou no recreio, professora que coloca de castigo), propostas pessoais de solução (contar para os pais ou para a diretora) e até os sentimentos que podem compensar os transtornos vividos (o gosto de poder compartilhar com a mãe as novas aprendizagens).

O que diferencia as duas produções é a passagem da "escrita-atividade", que apresenta respostas previsíveis, para a "escrita-produção", que se constrói nas e pelas palavras e reflexões dos autores (Colello, 2012; Geraldi, 1993; Kramer, 1999; Smolka e Góes, 1995). Ao escrever sobre situações vividas, sentidas e refletidas, os alunos dão mostras: 1) de envolvimento com o contexto de produção; 2) da capacidade de se colocar no lugar do outro; 3) do compromisso com o interlocutor (ou com a causa em questão); 4) de convicção sobre o potencial transformador da escrita; e 5) da efetiva possibilidade de serem autores do próprio texto.

A análise geral do conjunto de produções ratifica as diferenças quantitativas e qualitativas dos exemplos apresentados. Na primeira atividade, os alunos do 1º ano produziram escritas expositivas, concretizadas pelos gêneros "resposta por palavra" (uma só palavra para responder à pergunta) e "lista". As operações discursivas, por sua vez, ficaram limitadas a "respostas diretas e objetivas". Nos dois outros grupos (3º e 5º anos), aparece mais um gênero, o "texto explicativo", que busca explicitar razões como no seguinte caso: "Porque as pessoas pricizão aprender a ler e aiscrever munto se não fica puro [burro]".

A despeito das dificuldades específicas de escrita dos alunos (domínio do sistema, ortografia e pontuação) e dos ajustamentos pouco eficientes ao propósito do texto, a segunda atividade incorpora os tipos "argumentativo", "expositivo" e "injuntivo", que se revelam em uma considerável exploração dos seguintes gêneros e de suas correspondentes operações discursivas[20]: 1) listas de palavras, em referência às boas coisas da escola, com a intenção de convencer; 2) listas com respostas diretas e objetivas sobre o que se faz na escola; 3) texto expositivo com enumeração de vantagens; 4) diálogos argumentativos com condicionais positivas ou negativas; 5) diálogos argumentativos com operações de convencimento; 6) diálogos argumentativos com operações explicativas; 7) diálogos argumentativos com perguntas e pedidos de resposta;

20. O primeiro e o segundo itens especificamente para alunos do 1º ano; os demais, distribuídos entre os alunos de 3º e 5º anos.

8) textos de opinião com exclamativas de repúdio à posição do menino; 9) textos de opinião assumindo posição pessoal; 10) cartas com operações explicativas.

TRATAMENTO DO CONTEÚDO NAS PRODUÇÕES TEXTUAIS

No que diz respeito à abordagem temática (tratamento do conteúdo), vale considerar a distribuição dos temas abordados por ano escolar na primeira e na segunda atividades, sintetizada no Quadro 3:

QUADRO 3 – DISTRIBUIÇÃO DA ABORDAGEM TEMÁTICA (TRATAMENTO DE CONTEÚDO) POR GRUPO

Temas abordados sobre a escola	Atividades		
	1º ano	3º ano	5º ano
Atividades escolares (estudar, ler, escrever, fazer continhas)	primeira/ segunda	primeira/ segunda	primeira/ segunda
Condição pessoal, por intermédio das consequências positivas ou negativas (ser alguém na vida)	segunda	primeira/ segunda	primeira/ segunda
Brincar (brincadeiras com amigos, pular corda, boneca, gangorra)	primeira/ segunda	–	segunda
Aspectos sociais (ter amigos, conhecer gente nova)	segunda	–	segunda
Referências externas à escola (partilhar com os pais, ganhar o leite que é distribuído)	segunda	segunda	–
Conflitos e soluções (situações negativas e alternativas para resolver problemas)	–	segunda	–
Referência ao futuro (ir à faculdade, ter um emprego melhor)	segunda	segunda	primeira/ segunda

Com base no quadro, é interessante perceber que todos os temas considerados na primeira atividade foram retomados na segunda. Esta, por sua vez, deu margem a uma ampliação temática em todos os grupos, sugerindo um impacto progressivo (quatro novos temas para o grupo do 1º ano, três para o grupo do 3º ano e dois para o grupo do 5º ano).

Sem a pretensão de generalizar os dados obtidos (o que exigiria uma ampliação dos casos estudados), fica o indício de que a proposição de atividades com mais apelos interlocutivos (como foi o caso da segunda) faz considerável diferença na ampliação do dizer, especialmente para as turmas mais novas.

A análise qualitativa das produções sugere também que a segunda atividade favoreceu um detalhamento do tema, particularmente para os alunos do primeiro ano, que começam a se lançar às atividades de escrita. Os alunos que, na primeira atividade, responderam com o termo genérico "brincar" fizeram, na segunda, uma longa lista de brinquedos e brincadeiras, um indício do envolvimento em uma escrita que pretende convencer e transformar a realidade.

CONSIDERAÇÕES

No desenvolvimento da produção textual, as iniciativas do dizer passam pelo tateio de possibilidades discursivas de um eu que se traduz para o mundo em um processo mediado pelo outro. Um processo que, em uma perspectiva interlocutiva, se inicia já nas atividades desencadeadoras (como é o caso das propostas de atividades na escola), desafiando o sujeito não só pela colocação dos propósitos e destinatários, mas também porque antecipa as possibilidades de repercussão (Góes e Smolka, 1995). O que se configura, nessas propostas, não é só uma relação com o texto (a atividade a ser elaborada), mas a reconstrução de si, por pressupor a reorganização das ideias e das vivências pessoais; pressupõe também a tomada de postura em face do universo discursivo. Ao mesmo tempo, o texto, direcionado ao outro, na medida que o afeta, tem a perspectiva de transformar a realidade.

O contexto de produção não esgota toda a dialogia que deveria permear as relações na escola, mas ele é, certamente, uma porta de entrada privilegiada para a constituição do sujeito interlocutivo e do sujeito-autor. Com base no estudo realizado, pode-se supor que o avanço das crianças na segunda atividade tornou-se possível porque elas puderam transpor para o papel suas experiências de vida e seu repertório comunicativo, o que garantiu o envolvimento com a produção e o significado da proposta.

Para além da condição desencadeadora (mas profundamente dependente dela), o ajustamento da produção nos arranjos linguísticos ("como dizer") e de conteúdo ("o que dizer") passa necessariamente pela permanência do sujeito nesse universo discursivo e socialmente constituído: um espaço em que ele possa (se) compreender, (se) convencer, (se) expor, (se) perguntar e, ainda, argumentar, relatar, descrever, interpretar e responder... Negar essa condição é condená-lo ao silenciamento e à marginalidade.

"Parece óbvio que a criança se proponha a enunciar seu pensamento quando gera um texto. E, no entanto, encontramos crianças que mostram uma noção indefinida, certamente decorrente de suas experiências escolares, sobre a origem do dizer que se encontra na escrita" (Góes e Smolka, 1995, p. 55). Paradoxalmente, a mesma escola que se propõe a ensinar a ler e escrever, muitas vezes, cria resistências, dificuldades e distanciamentos com o mundo letrado.

Escapar das condições de analfabetismo funcional ou de "fragilidade da postura autoral" requer, portanto, a possibilidade de assumir a sua palavra no contexto das muitas palavras e, ainda assim, acreditar no poder de transformação que elas possam ter. O que está em jogo é a perspectiva de se comprometer com o outro. Um outro que, em primeira e última instância, dá sentido à linguagem e à própria condição humana.

12. Alfabetização: dos princípios às práticas pedagógicas

(RELATIVOS) CONSENSOS SOBRE A ALFABETIZAÇÃO

No contexto da pluralidade de concepções sobre a aprendizagem, a língua e os processos de alfabetização trazidos pelos aportes teóricos, por pesquisas de campo e pelos debates entre educadores, é possível situar alguns consensos[21] que, hoje, predominam nos discursos sobre o ensino da língua escrita; consensos que convidam os educadores a mudanças de postura e revisão das práticas pedagógicas:

- A língua, como construção sócio-histórica, é um objeto cultural que se concretiza em situações comunicativas contextualizadas de quem tem o que dizer, para quem dizer e por que dizer (Geraldi, 1993). É também nessa condição que ela se constitui como objeto de ensino, um objeto que está longe de ser estático, inflexível e fechado em si mesmo; não se aprende a língua apenas como aquisição formal, instrumental e técnica.
- A escrita é um objeto social de comunicação, mediação, interação, interlocução e geração de consciência que, exatamente nessas bases, merece ser ensinado e aprendido; não se garante a formação do leitor e escritor com base em exercícios mecânicos, atividades de reprodução, práticas passivas e descontextualizadas.
- Por ser uma meta fundante das práticas sociais letradas, a aprendizagem da língua escrita justifica-se na perspectiva do "alfabetizar letrando" ou da "cultura escrita"[22], isto é, recuperando, na

---

21. Um consenso do qual se excluem os adeptos do método fônico, que, por priorizarem a alfabetização como aquisição do sistema, não compartilham dos princípios, diretrizes e metodologias discutidos no presente capítulo.

22. Os termos aqui utilizados repercutem uma diferença de postura teórica. Enquanto para a frente histórico-cultural a compreensão diferenciada dos termos "alfabetização" e "letramento" justifica uma abordagem integrada de práticas pedagógicas – o alfabetizar letrando –, para os construtivistas a distinção entre ambos os termos, por si só, já compromete esse tratamento pedagógico integrado. De qualquer forma, as duas correntes (pesquisado-

sala de aula, a língua no contexto de vida; não se aprende a ler e escrever só para fins escolares.

- A aprendizagem da língua escrita está estreitamente vinculada ao trabalho de produção e interpretação textual que lhe dá sentido; não se desperta o gosto pela leitura e escrita nem motivação para essa aprendizagem se as práticas da língua estiverem aprisionadas na reprodução de letras e no ativismo de exercícios gramaticais e ortográficos.
- A aprendizagem da língua escrita é inseparável das práticas sociais letradas e do contexto cultural, razão pela qual tem início antes mesmo da escolaridade, devendo se projetar para além dela. Na construção deste objeto de conhecimento – a língua –, permanece, ao longo de toda a vida, o desafio de ser e agir por meio de diferentes formas do dizer, o que justifica contínuos esforços de exploração linguística; a aprendizagem da língua escrita não tem início, não se limita nem se esgota nos anos iniciais da escolaridade ou nos ciclos de alfabetização (sejam eles de dois ou três anos).
- A aprendizagem da escrita está estreitamente articulada a processos de descoberta e de reflexão sobre a língua, sobre suas práticas e sobre o conhecimento de mundo; não se aprende a usar a língua em decorrência direta e necessária de exercícios motores repetitivos, de práticas de memorização de letras, famílias silábicas ou regras gramaticais, tampouco pela prática mecanicista de associação de grafemas e fonemas ou de letras, sílabas e palavras.
- A aprendizagem da língua depende de uma ativa construção cognitiva, que se processa a longo prazo, a partir de diferentes experiências linguísticas e por diferentes caminhos; não se constrói conhecimento apenas a partir de um *input* unilateral, projetado da escola ao aluno, em uma progressão predeterminada, inflexível, linear e cumulativa.
- A aprendizagem da língua escrita, por depender de experiências letradas, informações externas e elaboração pessoal, está vinculada a condições específicas dos indivíduos e dos grupos sociais, culturais e regionais, razão pela qual a escola deve planejar, direcionar e sis-

res liderados respectivamente por Magda Soares e por Emilia Ferreiro) estão de acordo que a alfabetização deva ser feita em estreita sintonia com as práticas sociais da língua (Colello, 2004a e b, 2011).

tematizar o ensino em estreita sintonia com o perfil de seus alunos, criando também mecanismos de inclusão capazes de lidar com as diferenças individuais; manuais, programas curriculares genéricos e livros didáticos padronizados não necessariamente garantem a aprendizagem significativa e eficiente do ler e escrever.

- Como meio e meta de aprendizagem, a língua escrita é objeto de aprendizagem em diferentes campos do conhecimento, o que justifica o compromisso de professores de diferentes áreas; não se aprende a ler e escrever apenas com o professor alfabetizador ou com o professor de Língua Portuguesa.
- O ensino da língua escrita, superando um objeto de conhecimento em si, integra o propósito educativo de formação humana e de constituição da sociedade democrática; não se aprende a ler e escrever só para ler e escrever, mas para constituir-se como pessoa consciente, crítica e criativa no contexto do mundo letrado.

Essa mudança conceitual no ensino e na aprendizagem da língua escrita justifica questionamentos frequentes e inquietantes: não é verdade que muitos de nós aprendemos a ler e escrever com base no ba-be-bi-bo-bu? Não é verdade que muitos de nossos pais ou avós foram alfabetizados com as mesmas cartilhas hoje consideradas obsoletas? Não é verdade que muitas escolas e municípios ainda alfabetizam seus alunos com base na cópia, em práticas de reprodução e em exercícios mecânicos de ortografia e gramática?

Sim, é verdade. Mas é igualmente verdadeiro que a configuração da sociedade leitora no Brasil está (e, historicamente, sempre esteve) muito aquém da meta de formar leitores e escritores proficientes, como mostram as avaliações de desempenho escolar nacionais e internacionais. Para cada um que formalmente se alfabetizou e atravessou com sucesso a fronteira entre o conhecimento do sistema linguístico e a condição de usuário da língua, muitos ficaram pelo caminho. São pessoas que sabem ler e escrever, mas não se valem desse conhecimento de modo funcional; sujeitos que foram barrados no universo literário; indivíduos que não conseguem alcançar o gozo e a magia da língua na língua e pela língua.

Ainda que não possamos determinar com precisão a marca divisória entre o escrever e o bem escrever, entre o simples decifrar e o interpretar "dialogando" com o texto, sabemos que é nesse limite que se encontra o desafio de efetivamente alfabetizar A esse respeito, parece interessante notar que até mesmo os municípios (como é o caso de Sobral, no Ceará) e escolas bem-sucedidos, que dizem alfabetizar por metodologias centradas no sistema, acabam se valendo de mecanismos de motivação e ressignificação das práticas de leitura e de escrita (Cafardo, 2020).

Ainda que não se possam menosprezar os muitos sucessos alcançados ao longo do tempo (como a linha decrescente do analfabetismo nos últimos 50 anos, as iniciativas bem-sucedidas de formação docente, a ampliação das vagas escolares) e os méritos de boas iniciativas pedagógicas (pontuais ou coletivas) que, em diferentes momentos, procuraram enfrentar o problema do analfabetismo no país, não se trata de evocar a escola de ontem e os métodos do passado como modelos de sucesso. Definitivamente, os argumentos (ou sentimentos) saudosistas não podem ser o critério (nem mesmo um critério) para subsidiar a educação em um novo mundo, com um novo perfil de alunos, com novas demandas sociais, com novos aportes teóricos e tecnológicos (Colello, 2017a; Coll e Monereo, 2010; Ferreiro, 2013; Gómez, 2015; Palfray e Gasser, 2011). Em outras palavras, é preciso projetar a educação em estreita sintonia com a realidade de hoje e, também, com olhos para o amanhã, mesmo sabendo que o futuro é incerto.

De qualquer forma, cumpre admitir que, se os caminhos do sucesso na formação de muitos leitores e escritores são imprecisos (por vezes até contrariando precários condicionantes sociais, econômicos, geográficos e pedagógicos), os caminhos do fracasso têm, mais frequentemente, histórias cravadas em condições limitantes de acesso ao mundo letrado e de atendimento escolar.

Vem daí a preocupação em ensinar bem, buscando conciliar a compreensão (relativamente consensual) que hoje temos do processo de ensino-aprendizagem da língua aos princípios da alfabetização (mais educativos que instrucionais), às diretrizes (ou frentes de trabalho) e práticas de ensino, à natureza paradoxal do ensino da língua, às modalidades didáticas e aos eixos de trabalho em sala de aula. Discutir e buscar a relação entre esses aspectos é o objetivo do presente capítulo.

OS PRINCÍPIOS EDUCATIVOS DA ALFABETIZAÇÃO

Partindo do desafio de superar o abismo entre a língua escrita na esfera social e o ensino da língua, Lerner (2002) postula que a escola deve constituir-se como um "ambiente alfabetizador"; Jolibert (2006) aponta para a necessidade de se "textualizar a sala de aula"; Colomer (2007) propõe que as instituições de ensino se transformem em "comunidades de leitores"; Kaufman (2020) defende que a leitura e a escrita sejam o fio condutor de toda a vida escolar. São visões que se complementam com diferentes ênfases. No primeiro caso, trata-se de recriar uma condição de ensino favorável à aprendizagem por meio de atividades desafiadoras, contextualizadas e significativas. No segundo, o que está em pauta é desenvolver projetos pedagógicos capazes de recuperar na escola as práticas da língua escrita; projetos de trabalho pautados nos textos como objetos de comunicação, construção, informação, referência, consulta e sistematização de conhecimentos. A defesa da "comunidade de leitores" (feita em terceiro lugar por Colomer) diz respeito a uma ênfase que deveria contagiar o ambiente escolar. Trata-se de um ensino de mão dupla: na vertente que vai do "eu para o mundo", é preciso favorecer o aprofundamento do sujeito no universo letrado e literário; na vertente que vem "do mundo para o eu", importa que cada aluno possa se constituir como leitor, integrando à sua percepção e consciência o gosto pela língua escrita, os hábitos de leitura e escrita, as preferências por determinados gêneros e as estratégias de produção e interpretação. Finalmente, a postura de Kaufman (2020) chama a atenção para o ensino da língua escrita em longo prazo. Micotti (2007) sintetiza essas posturas pela proposição de um efetivo "reencontro do pedagógico com o real".

Para tanto, vale mencionar sete princípios inseparáveis que deveriam nortear as práticas em sala de aula. Como primeiro princípio, é preciso assumir a alfabetização escolar (o planejamento e a sistematização do processo de aprendizagem) como a continuidade de um longo processo já em curso. Partindo de "onde o sujeito está" – o que sabe, o que sente, o que deseja e o que valoriza no universo social, cultural e linguístico –, o ensino merece constituir-se pela estreita relação com suas experiências letradas vividas no período pré-escolar, tanto para subsidiar razões e perspectivas de aprofundamento de saberes linguísticos e de possibilidades comunicativas, quanto para oferecer oportunidades para aqueles que não tiveram as mesmas vivências.

Como segundo princípio, cabe à escola o papel de proporcionar uma pluralidade de experiências linguísticas – a diversidade de gêneros e tipos textuais, a variedade de suportes e de práticas sociais vinculadas à língua escrita, a multiplicidade de propósitos sociais e de caminhos no universo literário. Mais do que ensinar as letras, o que está em pauta é viabilizar o trânsito linguístico na esfera das múltiplas linguagens. Nesse sentido, ensinar a ler e escrever está estreitamente vinculado aos letramentos digital, cartográfico, matemático, científico, literário e artístico-visual.

É justamente em função do ensino plural da língua – a relação da escrita com os diferentes campos do saber e em distintos modos de dizer – que, na alfabetização, não se pode perder de vista a unidade de significado na relação eu-tu: o enunciado. Esse terceiro princípio enfatiza a língua não por suas unidades estruturais (a letra, a sílaba, a palavra e a sentença), que tantas vezes (em cartilhas ou métodos de alfabetização) orientava a progressão do ensino, mas pelo "conjunto de um dizer", pela proposição de uma ideia constituída que se volta ao outro como proposta comunicativa.

No Brasil, desde a década de 1980, diferentes correntes teóricas defendem que o ensino da língua deve, antes de tudo, preservar a natureza da língua. Ferreiro (1987), apoiando-se na ideia de alfabetização como construção conceitual, critica as práticas pedagógicas que, centradas na discriminação perceptiva, colocam a linguagem "entre parênteses". Geraldi (1984), por sua vez, liderando a contribuição dos estudos linguísticos, marca um dos mais importantes princípios da prática pedagógica: a intervenção significativa e contextualizada a partir do texto para chegar ao texto e, certamente, não usar o texto como pretexto, isto é, descartando o uso do (e a reflexão sobre o) texto para trabalhar as unidades estruturais. Isso significa que, em vez de partir do a, e, i, o, u ou do ba, be, bi, bo, bu, de palavras-chave consideradas particularmente facilitadoras da compreensão do sistema alfabético (por exemplo, "babá", "dado", "papai" etc.) ou, ainda, de exercícios de ortografia, gramática e sintaxe, os professores devem partir de enunciados ou textos que se justifiquem como propostas efetivas do dizer, como provocações para a exploração da riqueza cultural, temática e linguística; textos trabalhados como estratégias constituintes de mecanismos psíquicos na organização do pensamento, na elaboração de ideias e nas estratégias comunicativas. Em síntese, como é o propósito da comunicação que dá sentido à prática de ensino (e não o inverso), trata-se de transformar o objeto didático (saberes linguísticos a ser assimilados) em objeto simbólico (significados e sentido desse conhecimento na vida social). Trata-se de substituir o ativismo do ensino (lições, exercícios e tarefas a ser cumpridas etc.) por práticas de construção linguística que possam ser apropriadas na sua dimensão funcional e, sobretudo, como função psíquica do sujeito (Nogueira, 2017; Smolka, 2017; Teberosky e Colomer, 2003).

Perseguindo os referidos princípios, cabe questionar: na sala de aula, o que fazer com o texto? Como lidar com essa unidade de significado em prol da aprendizagem da língua e da sofisticação de mecanismos psíquicos? Esse questionamento nos remete ao quarto princípio: trabalhar o texto discursivamente e como objeto de reflexão, investindo na sutura entre descobrir, aprender e usar a língua escrita (Geraldi, 1993, 2014). Entendendo o processo de ensino e aprendizagem da língua como um intenso trabalho de produção na língua, da língua e com a língua, importa garantir a conciliação entre os propósitos comunicativos e didáticos dela (Lerner, 2002) — ou, como prefere Soares (2003), diminuir o inevitável abismo entre o letramento social e o letramento escolar.

Em decorrência disso, é possível situar três outros princípios indissociáveis e igualmente relevantes: trabalhar a língua na perspectiva de um desafio, fazer das relações interlocutivas em sala de aula a principal alavanca para a reflexão e a construção do conhecimento e, finalmente, sobrepor a produção linguística (o processo de ler e escrever) ao próprio produto.

O desafio da língua (quinto princípio) pressupõe que a leitura e a escrita sejam trabalhadas como efetiva resolução de problemas; problemas suficientemente fáceis para ser compreendidos e suficientemente difíceis para trazer ao sujeito o desafio de elaboração mental (Colello, 2015, 2017a; Colello e Luiz, 2020; Teberosky e Colomer, 2003; Weisz e Sanchez, 2002). De fato, para o usuário da língua, a interpretação e a construção textual colocam-se (e obviamente se justificam) em função de desafios de aprender e compreender, buscar ou trazer informações, relacionar pontos de vista e se posicionar, fazer apontamentos e se organizar em função deles, emitir pareceres ou apreender pontos de vista etc.; dito de outro modo, em função de efetivos problemas a ser enfrentados por razões, motivações e contextos específicos. A língua nunca se justifica por si só.

As relações interlocutivas (sexto princípio), por sua vez, são o *modus operandi* dessas práticas, pois, para lidar com problemas linguísticos, os sujeitos escutam, concordam, discordam, complementam, questionam, perguntam, respondem, sugerem, problematizam, elaboram, redigem, propõem, comentam, fazem considerações, negociam sentidos e significados etc. (Colello, 2017; Goulart, Gontijo e Ferreira, 2017; Silva, Ferreira e Mortatti, 2014). Uma vez levada pelos professores à sala de aula, essas práticas escorregam também para as interações entre colegas, que se sentem convidados (ou até autorizados) a participar dos processos de ensino e de constituição de autoria, seja pela possibilidade de trocar ideias e conhecimentos, seja pelo direito de se inserir dialogicamente no grupo. Em síntese, é preciso admitir que, "na sala de aula, o encontro entre o eu e o tu merece ser estabelecido a partir de uma postura de escuta e de efetivo intercâmbio" (Colello, 2007, p. 30). Afinal, é na relação com o outro que qualquer produção ou exploração linguística, em qualquer estágio de aprendizagem, faz sentido.

Nas práticas em sala de aula, a proposição da língua como um desafio no contexto das relações interlocutivas justifica o sétimo princípio: um modo de intervenção no qual o processo de problematização, intervenção docente ou interação entre colegas para a negociação de sentidos se sobrepõe ao próprio produto da construção linguística (Colello, 2017a; Geraldi, 2014; Nogueira, 2017; Smolka, 2017; Vidal, 2021). Ao instigar a postura ativa, responsiva, reflexiva e comprometida do estudante, o foco pedagógico que se imprime na ação docente desloca-se do produto a ser avaliado para o processo a ser construído, dialogicamente, em parceria com os sujeitos da aprendizagem.

DIRETRIZES E PRÁTICAS DE ENSINO

Uma vez situados os relativos consensos a respeito do objeto de aprendizagem e os princípios do ensino da língua, instaura-se o desafio da transposição didática A compreensível preocupação dos professores com "o que fazer em classe" vem sustentando a profusão de publicações sobre práticas pedagógicas que, seja pela via de livros didáticos, seja por programas curriculares instituídos ou até por revistas especializadas, trazem inúmeras sugestões e orientações práticas de trabalho. Outra evidência dessa preocupação é o número de congressos, encontros e iniciativas de formação docente que abrem espaço para a exposição de atividades realizadas em sala de aula e para a troca de experiências do fazer.

Um rápido levantamento de diretrizes (ou frentes de trabalho) para o ensino da língua escrita (Colello, 2012) permite elencar diferentes dimensões da ação didática: construção e fortalecimento do universo simbólico; estabelecimento das relações entre oralidade e escrita, leitura e escrita, imagem/desenho e texto; compreensão dos usos da língua; apropriação do funcionamento do sistema; desenvolvimento da consciência fonológica; exploração das relações entre o todo e partes da escrita e sistematização das variações quantitativas e qualitativas; conhecimento dos gêneros e dos portadores textuais.

Dando corpo a essas diretrizes, aparecem, de modo mais específico, sugestões de práticas pedagógicas (Colello, 2012), tais como atividades de representação simbólica (brincadeiras de faz de conta, encenações, desenhos), de conhecimento de mundo (abordagens temáticas), de fantasia (contação e criação de histórias), de revisão (correção e reescrita); atividades associadas a procedimentos técnicos (como gráficos e tabelas), a construções artísticas, matemáticas e científicas em projetos interdisciplinares; atividades de oralidade (rodas de conversa, debates), de leitura (da professora, entre alunos, saraus literários) e de produção escrita (elaboração de livros de contos, álbuns, diários ou relatórios de passeios); atividades com palavras (jogos, cruzadinhas, caça-palavras), com gêneros diversos e com imagens (legendas, histórias em quadrinhos); atividades de reflexão (comparações entre textos, estilos, estratégias de escrita); atividades de pesquisa e de produção temática; atividades de consciência metalinguística (problematizações sobre o funcionamento linguístico) etc.

Em que pesem a contribuição de tantas sugestões que inspiram os professores em suas práticas e, ainda, a validade da troca de experiências que os aproximam no desafio de aprender com a própria prática, o maior risco de diretrizes e sugestões de atividades tomadas em si são as apropriações reducionistas ou inflexíveis — por exemplo, conceber o fazer pedagógico como uma sucessão de atividades desarticuladas (não raro com a falsa expectativa de sucesso garantido); reduzir o ensino ao uso de um "receituário" sem critérios de implementação; incorporar atividades independentemente da realidade dos sujeitos; apropriar-se do "o que fazer" independentemente do "por que fazer", do "para que fazer", "em que situação fazer" e "de como interferir ou avaliar"; pressupor que, ao longo do ano letivo, os livros didáticos devam ser preenchidos a qualquer custo; e, em função desses riscos, confundir o processo de ensino com o de aprendizagem.

Por isso, pensar a prática pedagógica requer a consciência da complexidade de todo processo, complexidade na qual o *savoir-faire* seja cotejado pela compreensão a respeito da natureza paradoxal do ensino da língua, pelas modalidades organizativas e pelos eixos de intervenção em uma constante avaliação do percurso.

A NATUREZA PARADOXAL DO ENSINO DA LÍNGUA

O desafio de conciliar as dimensões didática e comunicativa da escrita evidencia a dimensão paradoxal da alfabetização, que oscila entre os polos aberto e fechado da língua (Bakhtin, 1988; Colello, 2007; Kaufman, 1995; Geraldi, 1993 e 2014).

Por um lado, a língua é um sistema fechado, construído a partir de convenções e regras que não podem ser alteradas sob pena de comprometerem a eficiência da comunicação. De fato, a criança que se alfabetiza não pode descuidar dos aspectos notacionais da língua, isto é, do como escrever. Ela deve, sim, conhecer as regras do sistema, compreendendo tanto as normas (por exemplo, letras maiúsculas em substantivos próprios, o M antes de P e B etc.) como as arbitrariedades da escrita (como CH na palavra "chocolate" e X na palavra "peixe"). Em síntese, "Não se pode inventar um 'outro' jeito de escrever porque a escrita tem a sua história, as palavras têm suas origens e as estruturas linguísticas carregam marcas milenares do percurso vivido pela humanidade" (Colello, 2007, p. 25).

Por outro lado, a língua é um sistema suficientemente aberto que permite (ou deveria permitir) tudo dizer. O sujeito alfabetizado (e até mesmo em fase inicial de alfabetização) é aquele que produz a língua, (re)criando a sua palavra em função de seus propósitos, interlocutores e contextos. Assim, o objetivo do ensino da língua é "incorporar as crianças à comunidade de leitores e escritores. Isso não significa que todas serão escritoras de livros, mas que serão capazes de ler e escrever adequadamente os textos de que necessitam na sua vida, como um jornal, uma carta, um manual de instruções" (Kaufman, 2020). Entendida como a conquista do direito de se expressar pela via da escrita, a alfabetização é, em diferentes níveis de produção, a conquista da condição de "autorar", tal como postulado por Bakhtin (1992).

Conhecendo estas duas dimensões – notacional e discursiva (Kaufman, 1995) –, poderíamos situar dois extremos que afetam a organização do trabalho em sala de aula. Quando a ênfase nos aspectos notacionais prevalece, podemos ter, em consequência, sujeitos que, mesmo dominando o sistema, não logram fazer da escrita um objeto de comunicação, intervenção e participação na sociedade letrada (como é o caso dos analfabetos funcionais). Outros, que desde muito cedo são incentivados a criar e produzir a sua língua, podem falhar na construção de textos eficientes e compreensíveis, coesos e bem articulados. No cenário de possíveis ênfases incorporadas pelo ensino, duas diretrizes constituem-se como chaves no enfrentamento desse dilema: equilibrar as práticas de ensino e garantir o propósito comunicativo da escrita.

MODALIDADES ORGANIZATIVAS E EIXOS DE TRABALHO EM SALA DE AULA

Na prática da alfabetização, toda dicotomia – teoria *versus* prática, aspectos notacionais ou discursivos, aprender a escrever ou usar a escrita, receber informações para aplicar conhecimentos, aprender unidades estruturais para lidar com o todo linguístico – trai e simplifica a complexidade da aquisição da língua. Vem daí a necessidade de se articular, na prática pedagógica, modalidades organizativas de trabalho e eixos de ensino-aprendizagem, visando equilibrar ênfases e gerenciar o tempo no processo pedagógico. Dessa forma, torna-se possível retomar conteúdos de modo significativo e recursivo em diferentes oportunidades e perspectivas.

As modalidades organizativas são formas de situar e distribuir as atividades didáticas em sala de aula, como propõe Lerner (2002):

- atividades habituais que se repetem diariamente como propostas permanentes e integradas à rotina da sala de aula (como é o caso da contação de histórias);
- projetos de ensino voltados para a realização de um propósito específico (a organização de uma festa, a produção de um livro etc.), que se desenvolvem mais em longo prazo, com base no planejamento comum de tarefas e distribuição do trabalho (Vidal, 2014);
- sequências de atividades, mais em curto prazo, orientadas para as atividades com fins em si (por exemplo, ler obras de um mesmo autor ou de um mesmo gênero para apreciação coletiva), em uma sucessão articulada e planejada de tarefas (por exemplo, ler, discutir e escrever);
- situações independentes, seja como oportunidades de sistematizar saberes conquistados, seja para abrir espaço a ocorrências pontuais que merecem destaque (por exemplo, uma notícia de jornal de particular interesse ou uma correspondência que chega à escola).

No curso dessas modalidades, os eixos de ensino-aprendizagem perpassam as atividades desenvolvidas em classe, distribuindo-se como ênfases complementares e recursivas na pedagogia da alfabetização, conforme ilustra a Figura 10.

FIGURA 10 – EIXOS DE TRABALHO PEDAGÓGICO NO ENSINO DA LÍNGUA ESCRITA

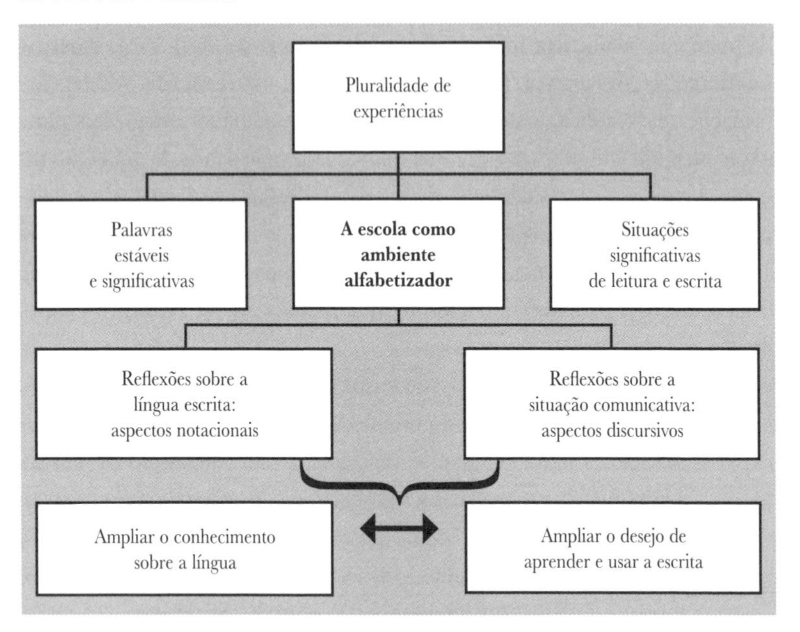

Partindo do princípio de que a escola deve se constituir como um ambiente alfabetizador (Lerner, 2002) com base no acesso e na multiplicação das experiências de leitura e escrita do sujeito, o ensino deve incidir, sempre pela via da reflexão, sobre os aspectos notacionais (como escrever o que se tem a escrever) e discursivos (como organizar a proposta discursiva ou dizer o que se tem a dizer). Se as palavras estáveis funcionam como base desse processo reflexivo para a compreensão do sistema, as situações significativas de leitura e escrita regem os referenciais de motivação e de esforço cognitivo. O equilíbrio dessas frentes de trabalho visa não só à aprendizagem formal da língua, como também à ampliação das relações que os alunos estabelecem com ela nas esferas escolares e sociais. Trata-se de um modelo educativo que jamais pode ser formatado, justamente porque, como proposta flexível de construção, deve contemplar a singularidade de cada contexto e a permanência do percurso de formação.

Tudo isso justifica a necessidade de professores bem formados, criativos, e comprometidos, constituindo-se como pesquisadores do e no próprio trabalho; professores sempre aprendizes.

PARTE III

Alfabetização: mecanismos do não aprender e perspectivas de formação docente

A escola e a vida cotidiana são consideradas contextos diferentes, desconectados e frequentemente opostos. Os conhecimentos, os exercícios e os trabalhos escolares são descontextualizados, afastados das preocupações e dos problemas do cotidiano, o que torna difícil encontrar a sua transferência e aplicação. Os longos dias e horas dos alunos na escola podem ser uma drástica perda de tempo, pois aprendem fatos, dados e algoritmos abstratos fora de contexto, por meio de lições desestimulantes nas quais não se envolvem e que esquecerão em uma semana ou um mês depois. É uma aprendizagem muito difícil de aprender, mas muito fácil de esquecer.

(Gómez, 2015, p. 40)

13. Analfabetismo e baixo letramento no Brasil. Por quê?[23]

Evidenciado por diferentes avaliações, o preocupante quadro de alfabetismo no Brasil é marcado por números inaceitáveis de analfabetismo[24], de baixo letramento e de baixo índice de leitura[25], o que coloca o Brasil entre os últimos do *ranking* do Pisa, que envolve 78 países[26]. Esse cenário evidencia um problema endêmico que, indiscutivelmente, está relacionado com inúmeros aspectos. Entre tantos, merece destaque (como vimos nas duas primeiras partes desta obra) a realidade educacional, particularmente no que diz respeito às concepções de língua como objeto de conhecimento, aos pressupostos didáticos, à relação das práticas pedagógicas com o aluno e com seus processos de aprendizagem.

Assim, sem desmerecer a complexidade do problema ligado a fatores de ordem histórica, econômica, social e política, este capítulo tem o propósito de fazer um amplo levantamento dos estudos realizados sobre as dificuldades do ensino da língua escrita.

Na análise de tantos dados, o reconhecimento de um percurso histórico responsável pelo contingente de pessoas analfabetas e de baixo letramento no

---

23. Texto adaptado e atualizado com base em excerto da tese de livre-docência de Colello (2015).
24. IBGE, Pesquisa Nacional por Amostra de Domicílios Contínua – Pnad Contínua. Disponível em: <https://www.ibge.gov.br/estatisticas-novoportal/sociais/rendimento-despesa-e-consumo/9171-pesquisa-nacional-por-amostra-de-domicilios-continua-mensal.html?=&t=o-que-e>. Acesso em: 29 dez. 2020.
25. Instituto Pró-Livro/Ibope Inteligência. *Retratos da Leitura no Brasil*, 4. ed., mar. 2016. Disponível em: <http://prolivro.org.br/wp-content/uploads/2020/07/Pesquisa_Retratos_da_Leitura_no_Brasil_-_2015.pdf>. Acesso em: 18 dez. 2020.
26. Instituto Nacional de Estudos e Pesquisas Educacionais Anísio Teixeira (Inep). "Pisa 2018 revela baixo desempenho escolar em leitura, matemática e ciências no Brasil", 3 dez. 2019. Disponível em: <http://portal.inep.gov.br/artigo/-/asset_publisher/B4AQV9zFY7Bv/content/pisa-2018-revela-baixo-desempenho-escolar-em-leitura-matematica-e-ciencias-no-brasil/21206>. Acesso em: 29 dez. 2020.

país parece insuficiente para explicar as atuais tendências, que retardam a superação do problema. Em outras palavras, o desafio de erradicar o analfabetismo e as iniciativas para alavancar os níveis de letramento não são apenas lutas para corrigir a herança do passado, mas também esforços que devem incidir sobre as crianças que hoje estão na escola. A contradição entre a democratização educacional (98% de atendimento ao público estudantil) e a lenta diminuição dos índices de analfabetismo e baixo letramento evidencia o descompasso entre a quantidade de vagas escolares e a qualidade do ensino oferecido. Trata-se, segundo Ferreiro (2002, p. 16), de uma nova configuração do problema:

> Iletrismo é o novo nome dado a uma realidade muito simples: a escolaridade básica universal não assegura a prática cotidiana da leitura, nem o gosto de ler, muito menos o prazer da leitura. Ou seja, há países que têm analfabetos (porque não asseguram um mínimo de escolaridade básica a todos seus habitantes) e países que têm iletrados (porque, apesar de terem assegurado esse mínimo de escolaridade básica, não produziram leitores em sentido pleno).

Essa constatação remete ao questionamento sobre as condições que a escola tem para, efetivamente, ensinar a ler e escrever: por que o acesso e a permanência na escola nem sempre garantem a formação de leitores? Como explicar o "mistério" da aprendizagem insuficiente da língua escrita?

Como ponto de partida de nossa análise, importa compreender a complexidade do referido quadro pela superação de explicações reducionistas que tão frequentemente circulam nos meios educacionais.

> Se descartássemos as explicações mais simplistas (verdadeiros mitos da educação) que culpam o aluno pelo fracasso escolar; se admitíssemos que os chamados "problemas de aprendizagem" se explicam muito mais pelas relações estabelecidas na dinâmica da vida estudantil; se o desafio do ensino pudesse ser enfrentado a partir da necessidade de compreender o aluno para com ele estabelecer uma relação dialógica, significativa e compromissada com a construção do conhecimento; se as práticas pedagógicas pudessem transformar as iniciativas meramente instrucionais em intervenções educativas; talvez fosse possível compreender melhor o significado e a ver-

dadeira extensão da não aprendizagem e do quadro de analfabetismo no Brasil. (Colello, 2004b, p. 115)

O texto chama a atenção para a "relação do sujeito com o conhecimento" e para a complexidade do "vínculo do aluno com a escola" (Colello, 2015, 2017a).

Para Matos e França (2008), a concepção de vínculo está ligada à sensação de pertencimento, isto é, à possibilidade de reconhecer e ser reconhecido pelo grupo, uma condição que define valores, condutas e motivações, funcionando como um campo de referência. Na escola, a ruptura de vínculos é, muitas vezes, dada pela fragilidade da escuta ao aluno, pela desconsideração de suas expectativas, pela pouca clareza sobre suas condições de aprender e de se integrar no grupo; enfim, pelo abandono pedagógico. O aluno que não se vê em condições de acompanhar as demandas da escola e de ser aceito pela comunidade estudantil está, antecipadamente, condenado aos problemas de aprendizagem e ao risco de marginalização social.

A construção do *vínculo do sujeito com a escola* e do seu correlato *relação com o conhecimento* passa pelo modo como o sistema educativo se "dialoga" com a estrutura de classe social, com as aspirações familiares e com a história de cada aluno. Esse pressuposto subsidiou a origem de uma frente de estudos sobre condições determinantes para o sucesso escolar.

A expressão "relação com o conhecimento" surgiu pela primeira vez na década de 1960, com os estudos psicanalíticos que postulavam a ligação entre saber e desejo. Nos anos 1970, ela foi retomada por sociólogos interessados em compreender o problema da desigualdade social na escola. Só nos anos 1990, porém, foi incorporada pelos estudos da didática (Charlot, 2005). Em uma perspectiva ampla, a relação com o saber é constituída não só com base nas atividades escolares em si, mas também nas relações interpessoais, nas oportunidades de aprender, nos contatos prévios com os objetos do conhecimento, nas situações de lazer ou de obrigação e nos modos de vida. Nas palavras de Charlot (2013, p. 12), "a relação com o saber é a relação com o mundo, com o outro e consigo mesmo de um sujeito confrontado com a necessidade de aprender".

Quando o fracasso escolar e, particularmente, as dificuldades do processo de alfabetização são tomados pelo vínculo dos alunos com a escola (o modo como se posicionam e como se sentem ali) e pela relação com o conhecimento (o significado atribuído à aprendizagem, o desejo de saber e, mais especificamente, o sentido de aprender a ler e escrever), a ampla bibliografia sobre o tema permite situar pelo menos seis fatores interdependentes na perpetuação do quadro de baixo letramento, apresentados a seguir.

1) IMPOSIÇÃO LINGUÍSTICA E REJEIÇÃO DO ALUNO AO ARTIFICIALISMO DO ENSINO[27]

O primeiro fator está relacionado com a frágil relação entre os alunos e as práticas de ensino, em especial as atividades de ensino da língua escrita. Por que isso acontece e quais são as implicações disso para o processo de alfabetização?

No Brasil, a aparente neutralidade pedagógica esconde concepções divergentes sobre a língua: o modelo autônomo e o modelo ideológico (Street, 1984; Kleiman, 1995). No primeiro, os adeptos da gramática normativa, pressupondo a língua como um sistema único, estável e externo aos sujeitos, associam-na à norma culta e, por isso, insistem em ensinar a escrita com base em exercícios repetitivos, textos fragmentados, tarefas escolarizadas e mecanismos autoritários de imposição linguística. A produção linguística, independentemente do contexto, dos propósitos ou dos interlocutores, é pautada por um critério inflexível de "certo e errado". Assim, o ensino da escrita tem por base práticas artificiais que desconsideram a condição de falante nativo, o conhecimento linguístico e os caminhos cognitivos percorridos pela criança; desconsideram que ela já compreendeu a sua natureza comunicativa e incorporou vocabulários, expressões, princípios gramaticais e modos de dizer próprios de seu mundo. De fato, conforme já assinalado nos capítulos anteriores, o que muitas vezes se encontra nas escolas são práticas mecânicas e descontextualizadas (como a cópia e a silabação), um ensino centrado na ortografia e na gramática que desconfigura a natureza funcional da língua. O choque entre o referencial linguístico da criança e a didática ou conteúdo do ensino costuma gerar um inevitável estranhamento, justamente porque o aluno não reconhece, nas atividades escolares, sua própria língua, tampouco compreende os seus objetivos.

---

27. A exploração desse tema foi subsidiada pelos trabalhos de Bagno (2003); Britto (2003, 2005, 2007); Cagliari (1989); Capello (2009); Carraher *et al.* (1989); Colello (2004b, 2010, 2012, 2017); Curto (2000); Dias (2011); Ferreiro (2007); Ferreiro e Teberosky (1984, 1986); Frigo (2020); Geraldi (1984, 1993, 2009); Gnerre (1981); Góes e Smolka (1995); Gómez (2015); Kleiman (1995, 2001); Luize (2011); Possenti (1984); Siqueira e Colello (2020); Silva e Colello (2003).

> Como é que se sente um falante nativo de português quando lhe perguntam qual é o feminino de *pai, avô, menino*...? [...] Como se sente um aluno quando lhe perguntam, na interpretação de um texto que contém a frase "João chutou a bola", "quem chutou a bola?" Sem dúvida alguma o aluno acha que ele ou a escola são malucos ou bobos! (Cagliari, 1989, p. 24; grifos do original)

Nessa perspectiva, o que se cobra do aluno é menos o conhecimento da língua e mais a capacidade de "jogar o jogo da escola", aderindo às práticas artificiais que, para ele, não fazem sentido. O ensino de língua escrita fica reduzido ao ativismo pedagógico sem necessariamente abrir novas frentes de comunicação. A consequência não poderia ser outra senão a apatia, o desinteresse e o boicote à aula, na forma de comportamentos de autoexclusão e de descomprometimento com a aprendizagem. Assim, o que, à primeira vista, parece ser um problema do aluno nada mais é do que uma reação deste à escola incapaz de se adaptar ao seu universo de significados.

Em oposição, as ciências linguísticas e o referencial histórico-cultural defendem o modelo ideológico de letramento. Nele, a língua é compreendida como uma construção interindividual circunscrita em um contexto de tempo e espaço a partir dos propósitos comunicativos (Bakhtin, 1988). Por isso, a produção e a interpretação da escrita dependem de um intenso trabalho de construção e reconstrução de significados, assim como de negociação de sentidos. Nessa ótica, o ensino, como vimos no capítulo anterior, situa a língua como objeto de reflexão a partir das possibilidades de uso. Pressupõe a imersão do sujeito na corrente da comunicação verbal, prevendo situações interativas e propósitos comunicativos capazes de sustentar a construção discursiva. Em função disso, mais do que transmitir as regras do sistema, o professor deve ensinar o funcionamento da língua, seus usos, propriedades e modos de circulação em diferentes gêneros, suportes e contextos; deve ampliar as estratégias de produção e de interpretação, situando o foco do ensino em operações na e com a linguagem e, por essas vias, valorizar a escrita na relação com as práticas discursivas.

> A grande aposta que se faz está firmada na certeza de que, para o indivíduo e para a sociedade, é muito mais importante aprender a usar a língua, a reconhecer seus múltiplos recursos, ampliar seu repertório linguístico e

> sua competência comunicativa do que aprender a fazer classificações mecânicas baseadas em procedimentos analíticos que parecem não levar a nada e ser apenas uma finalidade em si mesma. As novas propostas privilegiam, portanto, as operações que um falante competente é capaz de fazer com sua língua materna. Privilegiam o ensino dos procedimentos textuais, de técnicas discursivas, das estratégias interacionais que permitem que alguém se expresse de forma adequada às múltiplas situações de interação verbal [...]. (Bagno, 2009, p. 167-68)

No confronto entre os modelos autônomo e ideológico, Kleiman (1995, 2001) lamenta o distanciamento da escola em relação às práticas letradas da sociedade. No que diz respeito ao procedimento didático, a alfabetização, tantas vezes centrada no modelo autônomo, descontextualiza a língua de seus propósitos comunicativos, fazendo da escrita um objeto estritamente escolar. No que concerne à postura ideológica, o problema vai mais longe, porque esse mesmo reducionismo costuma fundamentar também a imposição da norma culta como a única possibilidade legítima de expressão. Embora não se possa negar a necessidade de ensinar a norma culta às crianças de classes populares, o problema é o modo autoritário como isso costuma ser feito em muitas escolas. A esse respeito, vale lembrar a contribuição de Soares (1991), que apregoa o "bidialetalismo" – o ensino da língua de prestígio sem rechaçar os dialetos regionais e sociais.

O desprezo pelas variantes linguísticas fomenta mecanismos de discriminação. A "língua de Estado torna-se a norma teórica pela qual todas as práticas linguísticas são objetivamente medidas. Ninguém pode ignorar a lei linguística" (Bourdieu, 1998, p. 32). Em função disso, o referido estranhamento do aluno em face das práticas pedagógicas sem sentido pode evoluir para sentimentos de menos valia e de exclusão. Nesse cenário, a alfabetização se faz às custas de um processo de silenciamento: ensina-se a escrever ao mesmo tempo que se rouba do aluno o gosto pela língua e a possibilidade de expressão da sua própria palavra; ensina-se a ler em um simultâneo movimento de negação da sua linguagem e dos valores do seu mundo.

Quando se menciona a imposição linguística, muitas são as contradições apontadas pelos pesquisadores. Gnerre (1981) ressalta a antítese entre os princípios da democracia (entendida como o direito à diversidade) e a imposição da norma linguística como único meio legítimo de expressão. Bagno (2009) condena a incongruência entre a pluralidade da língua e o cerceamento de sua produção por um suposto critério de certo e errado. Cagliari (1989) e Colello (2012, 2015) mostram o paradoxo entre o conhecimento linguístico da criança e as práticas artificiais em sala de aula. Britto (2003) lamenta a incoerência de uma escola que, com o propósito de ensinar, fomenta os mecanismos de discriminação. Bourdieu (1998), por sua vez, explica o nexo nefasto e implícito destas discrepâncias: o ensino que cala e a submissão do sujeito.

Aceitar as normas da escrita e as leis linguísticas não faz que o sujeito se perceba como parte integrante e integrada desse meio. Por isso, ele permanece como um estrangeiro no universo escolar. Até quando o ensino da língua escrita vai se limitar ao ensino de regras? Até quando vamos excluir os alunos que rejeitam a alfabetização pelo seu sentido de submissão às práticas elitistas?

2) AUTORITARISMO, ACULTURAÇÃO E RESISTÊNCIA DO ALUNO ÀS PRÁTICAS LETRADAS

Em consequência das práticas artificiais de ensino, dos mecanismos discriminadores vinculados ao uso da língua e do autoritarismo nesse processo de ensino-aculturação, muitos alunos acabam por rejeitar as práticas do mundo letrado. O problema não é só aprender algo que não faz parte de seu mundo; o problema é aprender algo que contraria seu mundo e nega suas origens.

Nesse cenário, é possível compreender o analfabetismo de resistência. De modo nem sempre consciente, aquele que alfabetiza oferece ao aprendiz mais do que um conhecimento técnico específico; ele propõe (e, muitas vezes, impõe) o aprofundamento do aluno no universo letrado, visando a uma nova condição social, cultural e cognitiva. Mas aquilo que parece tão legítimo aos olhos do professor (a suposta emancipação do sujeito pela aquisição da escrita e a ascensão dele a um mundo mais valorizado) pode se configurar, para os grupos menos favorecidos, como uma ameaça à sua identidade, um desenraizamento de suas origens ou um mecanismo de fragilização na luta social.

Segundo Charlot (2005), os processos de ruptura entre a escola e as condições de vida, muito frequentes em famílias de imigrantes, configuram-se como casos de "continuidade na heterogeneidade", podendo ser explicados da seguinte forma:

> Os pais migraram para melhorar de vida. Tenham tido sucesso ou não, eles queriam que seus filhos também melhorassem de vida. Para isso, as

> crianças deviam ter sucesso na escola. Para que tivessem sucesso na escola, era preciso que os pais os aceitassem como sendo diferentes deles, seus pais. Dizendo de outro modo, para que meus filhos continuem minha história, é preciso que eu aceite que eles sejam diferentes de mim. A continuidade exige heterogeneidade. Isso traz vários problemas: de identificação, de comunicação, de sentido de vida, os quais, muitas vezes, os pais e os filhos não chegam a resolver, nem mesmo a gerir. Assim, o sucesso escolar das crianças é, ao mesmo tempo, fonte de orgulho e de sofrimento tanto para os pais como para os filhos. Orgulho pelo sucesso. Sofrimento porque o preço a pagar é muito alto do ponto de vista psicológico. Esse preço é a ruptura da comunicação entre pais e filhos e também o risco de desvalorização de uns pelos outros. (p. 53-54)

Como dimensão específica desse tipo de ocorrência, o analfabetismo de resistência é, assim, marcado por uma tensão, cujos sintomas – difusos, imprecisos e cumulativos – raramente são percebidos pelos educadores (Colello, 2004a, 2004b, 2010; Kleiman, 1995, 2001; Silva e Colello, 2003): a rejeição de um ensino que desqualifica o mundo e o modo de vida do aluno; o temor de contrariar suas raízes; o receio de "trair" seus pares pouco ou não alfabetizados; a insegurança de se assumir como sujeito leitor em um contexto competitivo; o medo de abalar a primazia da oralidade pela imposição da escrita ou a incerteza de poder conciliar o mundo das letras aos modos de comunicação mais familiares.

Quando o aluno reage ao processo de dominação do ensino, consciente ou inconscientemente travando ou boicotando seu processo de aprendizagem (um típico caso de "inteligência contra si mesmo"), muito frequentemente, o caso costuma ser relegado à vala comum dos supostos problemas de aprendizagem ou limites do próprio sujeito. Em outras palavras, as dificuldades de considerar o ponto de vista dos alunos, os significados que eles atribuem ao conhecimento e, sobretudo, de negociar canais legítimos para a superação das dificuldades comprometem a perspectiva de um ensino democrático, afetam o vínculo do sujeito com a escola e favorecem o fracasso escolar.

3) DESCONSIDERAÇÃO DO LETRAMENTO EMERGENTE E DOS CONHECIMENTOS PRÉVIOS DO SUJEITO[28]

No que diz respeito ao terceiro fator de insucesso – a desconsideração do letramento emergente e dos conhecimentos prévios do sujeito –, importa lembrar (como vimos no capítulo 6) que, mais do que conhecer a língua como falantes nativas, as crianças ingressam na escola com conhecimentos a respeito da escrita; elas já percorreram, por si próprias, um caminho considerável no processo de alfabetização.

Para explicar o "letramento emergente", alguns autores, como Semeghini-Siqueira (2011), definem o termo tomando como base o conjunto de experiências pré-escolares de leitura e escrita da criança nos âmbitos doméstico e social. Outros, como Mowat (1999), preferem enfatizar o produto das vivências letradas que, pelo impacto sobre o sujeito, transparecem no desenvolvimento de concepções e de comportamentos. Seja pelo montante de vivências do sujeito, seja pelo significado dessas experiências, o conceito de "letramento emergente" abre a perspectiva para compreendermos os meandros da aprendizagem de crianças que não foram submetidas a um processo sistemático de ensino, valorizando a legitimidade de espaços informais na construção cognitiva.

Como os educadores, até a década de 1980, não estavam preparados para interpretar as primeiras tentativas (verdadeiros tateios cognitivos) de apropriação da escrita, muito menos para incorporar os conhecimentos prévios dos alunos às práticas alfabetizadoras (Goodman, 1995; Weisz e Sanchez, 2002), pressupunha-se que a alfabetização fosse um objetivo estritamente escolar, válido e desejável por si mesmo, independentemente de qualquer motivação externa. Daí também o pressuposto dos professores do 1º ano de dar início à alfabetização a partir de um marco supostamente zero de conhecimento, sem efetivamente considerar os saberes e a realidade dos alunos (Ferreiro, 2001b; Cagliari, 1989). Infelizmente, essas são ideias que, ainda hoje, vigoram em muitas salas de aula.

---

28. A exploração desse tema foi subsidiada pelos trabalhos de: Cagliari (1989); Colello (2004a, 2004b, 2010, 2012, 2017a); Curto (2000); Ferreiro (2001b, 2007); Ferreiro e Teberosky (1984); Frigo, (2020); Gallart (2004); Guimarães e Bosse (2008); Goodman (1995); Lucas e Colello (2019); Luria (1988); Mowat (1999); Purcell-Gates (2004); Semeghini-Siqueira (2011); Silva e Colello (2003); Smolka (2008); Weisz e Sanchez (2002).

Contrapondo-se a essa postura, Ferreiro (1987) afirma que, como as crianças não dependem de autorização formal para aprender, desde sempre são construtoras de conhecimento.

Ao lado da conquista de conhecimentos específicos (como o conhecimento de letras, de funções e de suportes da escrita etc.), o letramento emergente é também determinante no modo como as crianças se posicionam em face do mundo letrado, valorizando as práticas de leitura e escrita e disponibilizando-se para a sua aprendizagem. Aquelas que gostam de ouvir histórias, por exemplo, costumam se lançar aos livros, buscando estratégias de interpretação; as que convivem com práticas de escrita tentam escrever e, espontaneamente, testam hipóteses de registro.

Assim, temos, de um lado, um sujeito cognoscente que não fica imune aos objetos culturais que o rodeiam, como é o caso da escrita, e por isso se aventura na tentativa de compreendê-los. De outro, uma escola que, por não saber lidar com esse sujeito criador, nem sempre considera o seu papel na construção da aprendizagem e acaba por renunciar à perspectiva do ensino como diálogo intelectual entre professores e alunos.

4) DESCASO COM RELAÇÃO À REALIDADE SOCIOCULTURAL DOS ALUNOS[29]

Os problemas apresentados até aqui são corolários de uma dimensão mais ampla e igualmente velada da cultura escolar: o descaso com relação à realidade sociocultural dos alunos, o que favorece a fragilização do vínculo deles com a escola e da relação que eles estabelecem com o conhecimento.

Em estudo comparativo entre crianças de escolas particulares e públicas, Guimarães e Bosse (2008) concluíram que, em função de seus respectivos contextos de vida, as primeiras, na sua maioria, concebem a alfabetização como uma aprendizagem "fácil" e necessária para a vida, enquanto as crianças da escola pública encontram mais dificuldade para aprender e vinculam o conhecimento da língua escrita aos objetivos estritamente escolares (como

29. A exploração desse tema foi subsidiada pelos trabalhos de: Bagno (2003, 2007); Bourdieu (1998); Britto (2003); Cagliari (1989); Carraher (1986); Carraher *et al.* (1989); Charlot (1985, 2013); Coelho (2009); Colello (2004b, 2012, 2017a); Dias (2011); Ferreiro (2001b, 2007, 2013); Ferreiro e Teberosky (1984, 1986); Gallart (2004); Geraldi (1984, 1993, 2009); Gnerre (1981); Gómez (2015); Guimarães e Bosse (2008); Lahire (1995); Lucas e Colello (2019); Luiz (2020); Possenti (1984); Rojo (2009); Smolka (2008); Soares (1991, 2003); Teixeira (2011); Weisz e Sanchez (2002).

passar de ano) ou sociais (adquirir *status* ou garantir inserção no mercado de trabalho). Mesmo quando aprendem a ler e escrever, os alunos de classes menos favorecidas tendem a associar essa aquisição mais ao controle mecânico do código do que aos recursos de comunicação e produção de conhecimento.

O argumento apresentado por Lahire (1995, p. 19) explica a essência das relações nem sempre evidentes entre as condições sociais e o fracasso escolar:

> Os casos de "fracassos" escolares são casos de solidão dos alunos no universo escolar: muito pouco daquilo que interiorizaram através da estrutura de coexistência familiar lhes possibilita enfrentar as regras do jogo escolar (os tipos de orientação cognitiva, os tipos de práticas de linguagem, os tipos de comportamentos próprios da escola), as formas escolares de relações sociais [...]. Estão portanto sozinhos e como que alheios diante das exigências escolares.

A dimensão social da aprendizagem fica evidente em face da constatação de que não é qualquer família que pode garantir condições a seus filhos para lidar com o universo letrado; não é qualquer família que vive em sintonia com a "lógica dos valores escolares". O distanciamento entre o universo infantil e aquilo que a escola pressupõe como pré-requisito, longe de legitimar os discursos sobre o déficit cultural (e, assim, culpabilizar as famílias pelo fracasso no processo de aprendizagem), deveria reforçar o compromisso da escola com as classes menos favorecidas. Esse princípio, que é um consenso entre os pesquisadores, nem sempre se objetiva nas práticas escolares. Assim, nega-se, justamente aos mais pobres, a relação positiva com o saber, o aprofundamento do sujeito no mundo letrado, a imersão no universo literário e, por essas vias, também o caminho para a conquista da cidadania. Em outras palavras, não se trata apenas de uma escola ineficiente por desconsiderar os alunos, mas de uma escola que, em sua configuração elitista, sustenta mecanismos de fracasso a um segmento específico da população.

5) DISSOCIAÇÃO ENTRE O ENSINO E AS ESPECIFICIDADES DA FAIXA ETÁRIA OU DOS PROCESSOS DE APRENDIZAGEM[30]

Como dimensão inseparável da escola que sub ou superestima o aluno, o quinto fator vinculado à perpetuação do baixo nível de letramento está na dissociação entre o ensino e as especificidades da faixa etária ou dos processos cognitivos. Referindo-se à implantação do ensino fundamental de nove anos, Frade (2007), Kramer (2006), Perez (2011), Lucas e Colello (2019) alertam que, para além das mudanças estruturais e curriculares, a medida impõe a necessidade de reconhecer o aluno a partir das dimensões lúdica e cognitiva. O distanciamento entre "aquele que aprende" e "aquele que brinca", tão cristalizado na escola, é estranho aos propósitos da educação por duas razões interdependentes.

Em primeiro lugar, porque a baixa incidência dos apelos lúdicos mostra que a escola subestima aquilo que mais faz sentido para a criança e, por esse motivo, deveria funcionar como suporte da vida estudantil. Afastada da dimensão lúdica, a aprendizagem corre o risco de se tornar uma proposta alheia à vida do sujeito e ao seu universo de interesses, fragilizando o vínculo da criança com a escola.

Em segundo lugar, essa condição representa um desperdício do potencial pedagógico. Para Vygotsky (1988), tanto a situação imaginária típica do brinquedo simbólico como o uso de regras em jogos favorecem o descolamento entre o objeto e o seu significado (por exemplo, a boneca e a vivência lúdica de ser mãe), forçando o sujeito a se comportar de um modo diferenciado da sua realidade. Dessa forma, passa a operar em uma zona de desenvolvimento proximal favorável à aprendizagem, ao desenvolvimento e à constituição psíquica. Assim, a brincadeira, longe de ser apenas um ativismo de descontração, divertimento e motivação, integra-se ao processo cognitivo, representando um caminho especialmente oportuno para uma aprendizagem significativa e ativamente construída.

O baixo aproveitamento do lúdico no ambiente escolar aparece em estreita relação com a desconsideração da natureza dos processos de aprendiza-

30. A exploração desse tema foi subsidiada pelos trabalhos de: Colello (2007, 2012); Ferreiro (2001b, 2002, 2007); Ferreiro e Teberosky (1984, 1986); Frade (2007); Kramer (2006); Leal (2003); Lerner (2002); Lucas e Colello (2019); Luiz (2020); Luize (2011); Oliveira (1997); Perez (2011); Pinto (1997); Ribeiro (2003); Rojo (2001, 2009); Siqueira e Colello (2020); Soares (2003); Weisz e Sanchez (2002); Zabala (2008); Zaccur (1999).

gem, tendo como denominador comum a dificuldade dos professores de se colocar na posição de seus alunos e, por essa via, promover o conhecimento de forma ativa, interativa e significativa.

Ao se referir às longas trajetórias de alunos que, mesmo permanecendo na escola, vão apenas acumulando histórias de fracasso, Cagliari (1989) critica os educadores que, com o propósito de ensinar, ficam tão presos aos métodos que se esquecem dos conteúdos ou dos próprios alunos. No caso específico do ensino da língua escrita, vale lembrar as críticas de alguns autores (Colello, 2004, 2007, 2012; Ferreiro, 2001b; Ferreiro e Teberosky, 1984, 1986; Lerner, 2002; Weisz e Sanchez, 2002) às tradicionais cartilhas que, partindo do "princípio adultocêntrico" de ensinar em uma progressão didática "do fácil para o difícil", acabavam por impor ao aluno uma lógica estranha aos seus conhecimentos, processos cognitivos e expectativas. Em consequência dessa falta de sintonia, o ensino torna-se uma via de mão única: do professor para o aluno. "Se o professor não sabe nada sobre o que o aluno pensa a respeito do conteúdo que quer que ele aprenda, o ensino que oferece 'não tem com o que dialogar'. Restará a ele atuar como numa brincadeira de cabra-cega, tateando e fazendo sua parte na esperança de que o outro faça a dele: aprenda" (Weisz e Sanchez, 2002, p. 42-43).

Compreender a perspectiva da criança requer diferentes frentes de atenção por parte do professor. De um lado, é preciso situar, com base no referencial teórico, as regularidades do processo cognitivo; de outro, importa apreender as singularidades dos percursos individuais em movimentos únicos e imprevisíveis de aprendizagem. Além disso, ele deve se apoiar nas características do grupo-classe em suas dinâmicas de construção do saber. A pluralidade de aspectos a considerar impõe ao educador a revisão de posturas didáticas, porque, contrariando o paradigma empirista da educação, não é possível ensinar com base em procedimentos uniformes pretendendo atingir igualmente todos os estudantes, ou seja, controlando passo a passo o processo de aprendizagem do grupo. Do ponto de vista cognitivo, a sala de aula é "povoada" pela diversidade de saberes, percursos reflexivos, dúvidas, hipóteses e modos de produção. Do ponto de vista socioafetivo, o grupo se constitui também a partir de valores, interesses, gostos, motivações, tensões e inter-relações que afetam o processo de aprendizagem. A complexidade de fatores envolvidos na dinâmica de uma sala de aula requer do professor planejamento contínuo e intervenções específicas e ajustadas às especificidades.

Em síntese, quando o conhecimento é entendido em uma perspectiva interacionista, isto é, como uma negociação entre as informações externas e os modos de apropriação do sujeito, o desafio do ensino é justamente criar condições para que o aluno possa lidar com o seu processo cognitivo. Trata-se, portanto, de um exercício de elaboração pessoal complexo – porque envolve muitas frentes de conhecimento –, e singular – porque não acontece da mesma forma em diferentes sujeitos. Um processo que, valendo-se de um contexto reflexivo e do confronto de ideias, acaba por se beneficiar de propostas de trabalho coletivo e colaborativo em sala de aula. É na relação com o grupo que o aluno percorre o seu caminho individual.

Na falta de um ambiente cooperativo e desafiador, o aluno é sistematicamente desencorajado a lançar suas hipóteses, testar suas concepções, fazer perguntas, resolver problemas, lidar com os próprios conflitos, refazer raciocínios, confrontar possibilidades e buscar sentidos; ele tende a abrir mão de uma postura investigativa em face do conhecimento. Ainda que a aprendizagem tenha formalmente se concretizado (em um aparente sucesso escolar), ele pode perder o vínculo com os saberes e com o próprio processo de aprendizagem, isto é, a oportunidade de tornar seu o conhecimento que circula pelo mundo. Pior que isso, o aluno corre o risco de tomar os saberes como blocos estáticos e fechados de informação; blocos impostos, decorados e inúteis ao contexto de vida. Esse é o caso do aluno que aprendeu português porque decorou regras do sistema; sabe até ler convencionalmente, mas não se lança à leitura; pode escrever, mas entende a língua como objeto estritamente escolar. Esse é o caso do aluno que aprendeu a escrever, mas foi roubado na sua constituição de sujeito-autor (Colello, 2012).

6) DISTANCIAMENTO ENTRE O ENSINO E AS PRÁTICAS SOCIAIS DE ESCRITA[31]

No contexto dos debates educacionais, existe hoje um relativo consenso de que tão importante quanto conhecer as letras e as regras do sistema é apro-

31. A exploração desse tema foi subsidiada pelos trabalhos de: Bagno (2007); Britto (2005); Colello (2004a, 2004b, 2010, 2012 e 2013); Ferreiro (2001b, 2002 e 2013); Frigo (2020); Gómez (2015); Goulart (2003); Goulart, Gontijo e Ferreira (2017); Ivanic e Moss (1990); Kleiman (1995 e 2001); Leite (2001); Lerner (2002); Luize (2011); Luiz (2020); Moraes (2009); Miniac, Cros e Ruiz (1993); Mortatti (2004); Lucas e Colello (2019); Ribeiro (2003); Rojo (2001, 2009); Siqueira, 2018; Siqueira e Colello (2020); Soares (1991, 1998 e 2003); Teixeira (2011); Tfouni (1995).

priar-se da escrita como objeto social para fazer uso da língua em suas inúmeras práticas; estar alfabetizado é, em função de diferentes objetivos e contextos, poder interpretar, buscar informações, textualizar, anotar, registrar, compilar, catalogar, pesquisar, documentar, reivindicar, comparar e, por meio dessas competências, integrar-se ao mundo letrado de modo crítico. Representando essa postura, Moraes (2009, p. 11) defende a necessidade de se transformar a escola em "um espaço de acesso aos saberes produzidos socialmente e de aprendizagem do uso eficaz da informação, condição fundamental para a plena inserção social".

Apoiada no referencial piagetiano, Ferreiro (2013) critica a compreensão simplificada que se tem do construtivismo (frequentemente entendido como abordagem centrada no individual) e também assume a dimensão sociocultural como decisiva para o processo de aprendizagem, em especial para a alfabetização. Para ela, "a língua escrita [...] é um produto social que se materializa em objetos e superfícies inexistentes fora da sociedade" (p. 16).

O consenso entre os construtivistas e os adeptos da abordagem histórico-cultural de que o ensino da escrita não pode se desvincular das práticas sociais redimensionou a compreensão que hoje temos sobre o processo de alfabetização. Nas palavras de Lerner (2002, p. 17), "o desafio que a escola enfrenta hoje é o de incorporar todos os alunos à cultura escrita, é conseguir que todos seus ex-alunos cheguem a ser membros plenos da comunidade de leitores e escritores".

Ao romper definitivamente com a segmentação entre o momento ou espaço de aprender (anos iniciais da escolaridade) e o de fazer uso da língua, os pesquisadores deixam evidente a necessidade de aproximar a escola da vida, a escrita escolar das escritas que fazem parte do nosso mundo, isto é, dos textos com efetivos propósitos sociais. Dessa perspectiva, além de levar em consideração os aspectos relativos ao letramento emergente, a escola deve se valer das práticas letradas durante o processo de ensino para dar sentido à intervenção pedagógica. "Na prática, isso significa não só abrir a escola para os usos sociais cada vez mais articulados aos objetivos escolares, mas também superar a mediocridade do ensino centrado nas letras, admitindo de uma vez por todas a complexidade dessa aprendizagem" (Colello, 2010a, p. 109).

Contrariando as práticas (infelizmente bastante difundidas) de um ensino que cala pela imposição de normas e pela negação do sujeito histórico, a conquista da escrita deveria incidir sobre a condição do sujeito, reafirmando o seu lugar na sociedade.

O desafio de assimilar os princípios do "alfabetizar letrando" – como preconiza Soares (2003, 2020) – ou da "alfabetização como imersão na cultura escrita" – como advoga Ferreiro (2001b, 2002, 2013) – evidencia algumas falhas do sistema escolar: o distanciamento entre a escola e as esferas sociais; a falta de articulação entre a educação básica e as instâncias de pesquisa e de produção do saber; a precariedade na formação de muitos docentes; a falta de apoio técnico nas escolas e a dificuldade para a mudança de concepções e modos de ensino (Colello e Lucas, 2017; Frigo, 2020; Siqueira, 2018). Inevitavelmente, o aluno acaba também sendo vítima das fragilidades conceituais, estruturais e funcionais do sistema de ensino.

CONSIDERAÇÕES

Na tentativa de explicar os mecanismos que, dentro da escola e na relação com o aluno, perpetuam os quadros de analfabetismo e baixo letramento, os seis fatores mencionados permitem situar uma precária conjuntura escolar que ultrapassa a dimensão estritamente pedagógica porque, na esfera social, ameaça principalmente as camadas menos favorecidas da população. Nesse cenário, ficam evidentes:

- o autoritarismo do fazer pedagógico, que pouco considera a realidade cultural do sujeito aprendiz, favorecendo a imposição linguística e as práticas de discriminação;
- a incapacidade de considerar o ponto de vista dos alunos, seja para lidar com as diferenças sociais, seja para considerar as características das faixas etárias, gerando práticas que, simultaneamente, subestimam e superestimam os alunos, práticas que pressupõem motivações ou impõem atividades pouco significativas;
- a artificialidade das atividades em sala de aula, geralmente na forma de propostas didáticas centradas em metodologias fechadas e, muitas vezes, incapazes de envolver os alunos;
- a dificuldade de considerar os conhecimentos prévios das crianças (letramento emergente), transformado a alfabetização em um objeto estritamente escolar;
- a desvalorização do papel do aluno como sujeito ativo na construção do conhecimento;

- a dificuldade dos educadores de articular os processos de ensino aos de aprendizagem, assim como de vincular o conteúdo escolar à dimensão lúdica, tão preciosa no universo infantil;
- a ineficiência dos projetos pedagógicos para integrar a aprendizagem ao uso da língua, isto é, às práticas sociais letradas;
- o distanciamento entre as práticas de ensino e as práticas sociais;
- a exploração insuficiente de propósitos, gêneros, suportes, linguagens e outros mecanismos de representação;
- a fragilidade das relações entre alunos e professores;
- o distanciamento entre os alunos e a língua escrita como objeto de conhecimento;
- a dificuldade na revisão e construção do ensino, tendo em vista as condições de formação e de trabalho do professor.

Na problemática do ensino da língua escrita, dois polos merecem destaque: a escola, que, pela incapacidade de reverter as injustiças sociais, nem sempre favorece o processo de democratização; e o aluno, que, frequentemente contagiado pela ineficiência do sistema de ensino, mantém frágeis vínculos com a escola e relação negativa com a língua escrita como objeto do conhecimento (como se verá no próximo capítulo). Contudo, se, por um lado, a consideração desses mecanismos de fracasso escolar e de perpetuação dos baixos níveis de letramento aponta para uma realidade complexa e contraditória em face dos ideais de formação humana e de construção de uma sociedade mais justa, por outro, ela permite vislumbrar caminhos de superação, visando à efetiva conquista da língua escrita — conquista que hoje se coloca como um desafio para a emancipação cognitiva, psíquica, social e política de nossos alunos.

14. Por que as crianças, do seu ponto de vista, aprendem a ler e escrever?[32]

[Buscar o ponto de vista da criança] é a única maneira que se tem para desvendar algumas questões. Não há outra forma ou método: ou se recorre às crianças ou se fica sempre trabalhando com a visão do adulto.
(Demartini, 2001, p. 2)

No esforço para compreender os processos de aprendizagem (e, em contrapartida, os mecanismos do não aprender), é impossível dissociar as esferas social e pedagógica das suas relações com o posicionamento afetivo dos alunos em face das esferas do saber. Isso porque o modo como as crianças aprendem depende do contexto de vida, da relação que elas têm com os objetos de conhecimento, além do vínculo com a escola e do modo singular como reagem ao ensino ao longo da trajetória estudantil (Charlot, 2013; Colello, 2015, 2017a).

No caso da alfabetização, a inserção do sujeito no contexto social costuma trazer, desde muito cedo, a compreensão e a valorização do papel da língua escrita, fatores importantes para o processo de construção do conhecimento e da disponibilidade de aprender. No plano escolar, as práticas de ensino são igualmente decisivas para o sucesso ou o fracasso da alfabetização. Ao mencionar a desconsideração da escola pelas diversidades linguísticas e culturais, Ferreiro (2002, p. 81) chama a atenção para o modo restrito com que a escrita costuma chegar às salas de aula:

> [...] a transformação da escrita – objeto social por excelência – em objeto escolar contribui para acentuar esse movimento de negação das diferenças: alfabetiza-se com um único método, com um único tipo de texto privilegiado (controlado e domesticado), adotando uma única definição de leitor, um único sistema de escrita válido, uma forma de fala fixa.

32. A pesquisa aqui apresentada é parte do estudo desenvolvido por Colello (2015).

O amálgama entre os fatores sociais e escolares estabelecido afetivamente pelos alunos que aprendem a ler e escrever – no caso, um conjunto de ideias associadas à valoração e à percepção sobre a funcionalidade da escrita – sustenta sistemas explicativos mais ou menos estáveis e, ao mesmo tempo, funciona como "estrutura de recepção" na assimilação do conhecimento (Giordan e De Vecchi, 1996), afetando a disponibilidade para aprender. Trata-se de uma representação pessoal que filtra o modo como o aluno lida com diferentes situações dentro ou fora da sala de aula, podendo se constituir como obstáculo à aprendizagem (a suposta "lentidão" para aprender ou o analfabetismo de resistência) ou como mecanismos facilitadores (a curiosidade para compreender a língua, o desejo de ler e escrever, o gosto pelas práticas letradas), que alavancam a aprendizagem, inclusive para a superação de dificuldades.

Partindo do pressuposto de que a relação das crianças com a escrita é um aspecto relevante na construção do sucesso ou do fracasso da alfabetização e, mais do que isso, de que o entendimento dessa relação pode apontar para caminhos alternativos e renovadores das práticas pedagógicas, o objetivo deste capítulo é captar as concepções de alunos de ensino fundamental (particularmente daqueles provenientes de ambientes menos letrados) sobre a língua escrita. Afinal, como eles compreendem a necessidade de aprender a ler e escrever? Como essa postura (positiva ou negativa, ampla ou reduzida) pode ser fortalecida ou desestabilizada?

O QUE PENSAM OS ALUNOS SOBRE OS OBJETIVOS DA ALFABETIZAÇÃO

Perseguindo o referido objetivo, perguntamos (Colello, 2015) a 30 alunos do ensino fundamental (10 do 1º ano, 10 do 3º ano e 10 do 5º ano): "Por que as pessoas aprendem a ler e escrever?" As crianças, provenientes de diversas escolas municipais na periferia de São Paulo, compõem uma amostra que se justifica pelo interesse em estudar o segmento com maior índice de fracasso escolar. O questionamento foi realizado por escrito em dois diferentes momentos do período letivo (1º e 2º semestre) para captar possíveis variações de posicionamento, sobretudo porque, entre as duas coletas, foram desenvolvidas algumas atividades de reflexão sobre a língua escrita (produções textuais com diferentes parcerias, propósitos, suportes e interlocutores, em uma diversidade de situações comunicativas).

No mapeamento das 60 respostas, procuramos relacionar o conjunto de ideias evocadas e, por essa via, fazer um estudo exploratório das tendências e prevalências nos posicionamentos dos sujeitos. De modo geral, as respostas foram agrupadas em quatro categorias de objetivos: escolares, aspectos externos à língua, aspectos internos à língua e critérios vinculados à condição pessoal.

Na categoria "Objetivos escolares", foram agrupadas as respostas associadas às metas escolares (estudar e aprender) ou à participação nas atividades propostas (responder às perguntas do professor e fazer a lição), conforme ilustra o exemplo[33]:

> apreder
> estuda
> apreder letrademão leronome do zoutro (Gabriel, 1º ano)

Na categoria "Objetivos externos à língua", os alunos privilegiaram as expectativas de pais e professores ou as metas em longo prazo (deixar a mãe contente, entrar na faculdade e conseguir trabalho), como é o caso do texto a seguir:

> Eu acho que as pessoas devem saber ler e screver por que tipo quando ela forem arrumar um serviço e o grente passar uma prova para ver se eles estão adiantados eles não sabem ler nem screver não vai dar para eles arrumar um serviço (Ingrid, 5º ano)

Na categoria "Objetivos internos à língua", as crianças valorizaram a língua escrita como uma aprendizagem válida em si mesma, dadas as possibilidades de ação e de interação que ela oferece: ler livros ou ler jornais e escrever bem. A produção a seguir é um exemplo dessa categoria:

> PARA ESCREVER CARTAS PARA LER LIVROS PARA LER UMA MUSICA (Beatriz, 3º ano)

33. A apresentação das produções textuais dos alunos respeitou o modo como elas foram originalmente escritas (tipo de letra, espaçamento entre palavras, distribuição nas linhas, ortografia e pontuação). Em casos de difícil decodificação, a intenção dos autores foi transcrita entre colchetes.

Na categoria "Objetivos vinculados à condição pessoal", os alunos justificaram a aprendizagem da língua escrita pela possibilidade de alcançar ou evitar uma dada condição pessoal. O texto que se segue ilustra as duas possibilidades:

PARA APRENDE SEAGEN NA VIDA I NUM CE BURO [Para aprender a ser alguém na vida e não ser burro] (Roberto, 3º ano)

Ainda que não tenham total clareza sobre os significados do aprender a ler e escrever, os alunos dessa categoria parecem sugerir que, além do valor instrumental para a escola ou para o trabalho, a alfabetização garante um "algo a mais". Trata-se de uma aprendizagem que tem a possibilidade de transformar a condição do indivíduo e o modo como ele é visto pelos outros. No conjunto das produções, isso aparece de modo mais objetivo (ser inteligente, ser esperto, não ser burro nem motivo de zombaria dos outros) ou de modo mais impreciso (ter um futuro melhor ou conseguir uma boa condição social). Em ambos os casos, as respostas dos alunos parecem mais reproduzir vozes sociais (muitas vezes, clichês do senso comum) do que exprimir uma ideia própria com base na sua experiência e percepção pessoal. Afinal, aos 6, 8 ou 10 anos de idade, o que significa "ser alguém na vida"?

De qualquer forma, tal postura parece particularmente significativa, pois prevê a conquista de um modo de ser — postura compatível com a posição de Soares (1998, p. 36-37, grifos meus), para quem as mudanças nas condições pessoais permitem diferenciar o analfabeto do efetivamente alfabetizado:

> [...] quem aprende a ler e a escrever e passa a usar a leitura e a escrita, a envolver-se em práticas de leitura e escrita, torna-se uma pessoa diferente, adquire um outro estado, uma outra condição. *Socialmente e culturalmente*, a pessoa letrada já não é a mesma que era quando analfabeta ou iletrada, ela passa a ter uma outra condição social e cultural [...] sua relação com os outros, com o contexto, com os bens culturais torna-se diferente. Há a hipótese de que tornar-se letrado é também tornar-se *cognitivamente diferente*: a pessoa passa a ter uma forma de pensar diferente da forma de pensar de uma pessoa analfabeta ou iletrada [...]. Tornar-se letrado traz, também, *consequências linguísticas*: alguns estudos têm mostrado que o letrado fala de forma diferente do iletrado e analfabeto [...], evidenciando

que o convívio com a língua escrita teve como consequências mudanças no uso da língua oral, nas estruturas linguísticas e no vocabulário.

Na apresentação das quatro categorias, fica evidente a diversidade dos planos de valorização da aprendizagem da escrita, todos eles legítimos. De fato, poder considerar a alfabetização pelos ganhos escolares, sociais, linguísticos e pessoais parece oportuno, não só porque faz justiça aos objetivos educacionais oficialmente assumidos, mas porque comprova que esses objetivos podem ser partilhados com os alunos em processo de alfabetização.

A esse respeito, importa perguntar como o conjunto de fatores se realiza nas respostas de cada um. Pelo viés quantitativo (número de categorias evocadas), como os alunos consideram a amplitude de objetivos da alfabetização? Pela análise qualitativa, (quais categorias são evocadas), que significados e tendências podem emergir da distribuição das respostas?

COMO OS ALUNOS CONSIDERAM A AMPLITUDE DOS OBJETIVOS DE ALFABETIZAÇÃO

A distribuição do número de categorias mencionadas pelos respectivos grupos de alunos nos dois momentos de coleta é apresentada na Tabela 1:

TABELA 1 – DISTRIBUIÇÃO DO NÚMERO DE CATEGORIAS NOS GRUPOS

Turmas	1º ano		3º ano		5º ano		Total		
	1º semestre	2º semestre	1º semestre	2º semestre	1º semestre	2º semestre	1º	2º	1º/2º
1 categoria	8	5	7	7	10	4	25	16	41
2 categorias	2	4	2	3	0	5	4	12	16
3 categorias	0	1	1	0	0	1	1	2	3
4 categorias	0	0	0	0	0	0	0	0	0
Total	20		20		20		30	30	60

Os dados mostram que mais de dois terços das produções (41 de 60) concentraram-se em um único tipo de objetivo para justificar a aprendizagem da língua escrita. Cerca de metade dos alunos (16) considerou duas, e apenas três alunos chegaram a mencionar três categorias. Nenhum deles foi capaz de evocar os quatro tópicos de explicação. Trata-se de um cenário preocupante, porque evidencia que a maioria dos alunos não consegue apreender a amplitude das metas de alfabetização e, consequentemente, o valor dessa aprendizagem em diferentes perspectivas.

É curioso perceber que, na comparação entre as três turmas, o somatório das categorias nos dois semestres parece estável (13, 14 e 14 casos, respectivamente, no 1º, 3º e 5º anos, em produções com um só tipo de resposta; seis, cinco e cinco para produções com duas categorias e um, um e um para três categorias), o que indica que a amplitude dos objetivos de alfabetização independe da idade ou do ano escolar.

COMO OS ALUNOS CONSIDERAM O SIGNIFICADO DA ALFABETIZAÇÃO

No conjunto dos 60 trabalhos, a distribuição de respostas por categoria de objetivos da alfabetização pode ser ilustrada pela Figura 11.

FIGURA 11 – OBJETIVOS DA APRENDIZAGEM DA LÍNGUA ESCRITA: DISTRIBUIÇÃO DAS CATEGORIAS

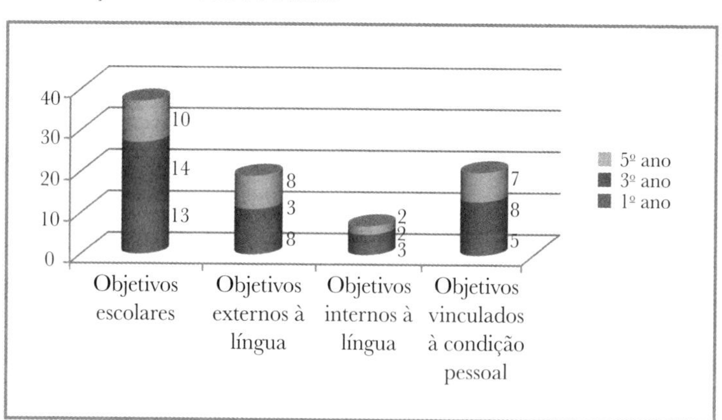

Nos três grupos estudados, os dados apontam para uma significativa polaridade entre os "objetivos escolares" (a categoria mais frequente) e os "objetivos internos à língua" (evocação menos frequente): para cada duas ou três referências aos "objetivos internos da língua" (sete evocações no total), temos de dez a 14 referências aos "objetivos escolares" (37 evocações).

A predominância dos "objetivos escolares" poderia ser explicada como reflexo de expectativas sociais, familiares e escolares, que têm como prioridade a meta de alfabetizar nos anos iniciais do ensino fundamental: um pré-requisito para a continuidade dos estudos e uma cobrança nas avaliações do desempenho escolar.

Embora o papel da língua escrita na vida estudantil seja legítimo, é preciso lembrar que "a escrita é importante na escola pelo fato de que é importante fora da escola, e não o contrário" (Ferreiro, 2001b, p. 33). O desequilíbrio entre a categoria dos "objetivos escolares" e as demais – particularmente, em relação aos "objetivos internos da língua" – sinaliza a considerável submissão do aluno às exigências e aos discursos típicos da escola, com provável prejuízo de outros objetivos igualmente legítimos; objetivos que poderiam sustentar uma postura mais autônoma do alfabetizando. Em outras palavras, o aprender, nesse caso, justifica-se mais pela expectativa do outro do que pelo próprio desejo ou necessidade pessoal; justifica-se mais em função das exigências escolares do que propriamente pela valoração da língua escrita em si. A dificuldade da maior parte dos alunos em perceber a língua como um recurso imprescindível para a comunicação social, a leitura por prazer e as possibilidades de interpretar, de criar, de compor e de se manifestar reflete (e ao mesmo tempo justifica) uma certa distância do sujeito com relação à língua como objeto de conhecimento, o que, certamente, explica muitas dificuldades na alfabetização.

Entre os dois extremos, as categorias intermediárias – "objetivos externos à língua" (19 evocações) e "objetivos vinculados à condição pessoal" (20 evocações) – parecem equilibrar-se, marcando também um paralelismo entre os ganhos da alfabetização, ora na esfera social (escrever no trabalho, ler para os amigos), ora no âmbito pessoal (ser esperto, não ser burro). De fato, entre os 30 alunos estudados, apenas 3 (um do 1º ano e dois do 5º ano) vislumbraram a concomitância dessas duas possibilidades. O texto de Eduardo, do 5º ano, é exemplo disso:

> PARA TEUN FUTURO MELHO TRABALHA DÍRÉITÍN 49 HO E CER UM OMEN DIDEITO TRABALHADO. [Para ter um futuro melhor e trabalhar direitinho ("objetivo externo à língua") e ser um homem direito e trabalhador ("objetivo vinculado à condição pessoal").]

Ao contrário da rara simultaneidade de ganhos sociais e pessoais, aparece uma ideia bastante frequente no conjunto das respostas: a escrita como meta em longo prazo atrelada ao princípio de separação entre o momento de aprender e o momento de usar ou usufruir dessa aprendizagem. Essa concepção, comum em todas as categorias, marca o relativo consenso dos alunos sobre benefícios da alfabetização como meta em um futuro distante, conforme demonstram os exemplos:

- "Objetivo escolar": QUANDO QUERSE FAZER CURÇO [Quando crescer, fazer curso – Larissa, 1º ano].
- "Objetivo externo à língua": PACOQ EU SE DUFINHO ABELE [Para quando crescer, o filho aprender a ler – Gilberto, 3º ano].
- "Objetivo interno à língua": PRA LE QUNDO CRESE PARA ESQUEVE SÉRTO [Para ler quando crescer. Para escrever certo – Giovane, 1º ano].
- "Objetivo vinculado à condição pessoal": POR QUR NÃO ISTUDA ELA IA FICA PURA E MELOR ISTUDA. [Porque, se não estuda, ela ia ficar burra; é melhor estudar. – Marcos, 5º ano].

Mesmo de diferentes perspectivas, os alunos parecem incorporar o princípio de que a efetiva alfabetização está distante do presente, como se o escrever dependesse necessariamente de um grau de excelência e correção; como se a escrita não lhes fosse formalmente permitida no período de aprendizagem; como se as práticas de leitura e escrita não pudessem ter, hoje, algum benefício ou utilidade.

Essa concepção, provavelmente assimilada a partir de vozes externas (falas do senso comum ou da própria escola), contraria o referencial teórico sobre a alfabetização. Em primeiro lugar, porque afronta os postulados da linguística em defesa da legitimidade das muitas linguagens, ao mesmo tempo que se opõe a um modelo linguístico unificado, a norma culta sustentada pelos princípios da correção (Bagno, 2003; Geraldi, 1984; Gnerre, 1981). Em segundo lugar, porque fere os aportes construtivistas (Ferreiro, 2007; Ferreiro e Teberosky, 1984, 1986) e histórico-culturais (Luria, 1988; Vigostki, 2000;) sobre a possibilidade de ser um usuário da língua mesmo antes de escrever convencionalmente.

POSSIBILIDADES DE LIDAR COM AS POSTURAS INCORPORADAS PELOS ALUNOS

A comparação entre as respostas do primeiro e segundo semestres indica que as concepções infantis podem ser modificadas ou ampliadas quando os alunos têm oportunidades diferenciadas de escrever e de refletir sobre o papel da língua. De fato, conforme os dados apresentados (Tabela 1), evocações mais abrangentes sobre os objetivos da alfabetização podem ser comprovadas pelos números: o índice de 25 produções com uma só categoria no primeiro semestre foi reduzido para 16 no segundo semestre, e os textos com duas ou três categorias subiram, respectivamente, de cinco para 14 casos. Além disso, do ponto de vista dos significados atribuído à aprendizagem da escrita, é possível afirmar que a possibilidade de conjugar duas ou mais categorias (feitas principalmente no segundo semestre) acaba por fortalecer a compreensão sobre a conquista da língua escrita. Os trabalhos de Daniel (5º ano) ilustram essa possibilidade:

- Primeiro semestre: POR QUE A GENTE TEM QUE LER ALGUMA COISA NA ESCOLA.
- Segundo semestre: POR QUE SE NÃO APRENDEM A LER E A ESCREVER NÃO CONSEQUE TRABALHAR E NÃO VAI SABER NADA E TEM QUE IR PARA ESCOLA PARA APRENDE.

Daniel, em seu primeiro texto, evocou apenas o "objetivo escolar" ("ler alguma coisa na escola") para explicar a razão de alfabetizar. No segundo trabalho, além do "objetivo escolar" ("ir para a escola para aprender"), ele considerou também outras duas categorias: o "objetivo externo" ("conseguir trabalhar") e a "condição pessoal" ("não ficar sem saber nada"). Escrito em um tom argumentativo que pretende justificar a postura assumida, o texto do garoto articula as ideias, comprovando a possibilidade de transformar discursos sociais em convicções próprias.

CONSIDERAÇÕES

"Cada pessoa tem um determinado horizonte social orientador de sua compreensão, que lhe permite uma leitura dos acontecimentos e do outro impregnada pelo lugar de onde fala. Deste lugar no qual se situa é que dirige o olhar para a nova realidade" (Freitas, 2003). Com base nesse princípio, é possível dizer que compreender as concepções ou representações infantis sobre o mundo é compreender como as crianças lidam com a realidade e como enfrentam os desafios de seu dia a dia. Seguindo essa linha de raciocínio, a compreensão acerca da relação do sujeito com os objetos de conhecimento não apenas permite vislumbrar os caminhos de aprendizagem, como também as alternativas para a superação de supostas dificuldades. Nas palavras de Smolka (2017, p. 25, grifos da autora),

> ao conhecer e observar os meios/modos das crianças se relacionarem com a escrita no contexto da sociedade letrada, *o que fazer em sala de aula*? E como esse *"fazer" pedagógico* [...] poderia (trans)formar os modos de apropriação da forma escrita de linguagem pelas crianças, os modos de elas se constituírem leitoras/escritoras, ampliando e mobilizando seus modos de participação na cultura, na história.

Os alunos não aprendem ou deixam de aprender só em função do que foi objetivamente ensinado, mas, sobretudo, por meio de uma teia pessoal de concepções, posturas e valores que coloca o sujeito em diferentes condições de aprender. Daí a importância de se "negociar dialogicamente a aquisição do conhecimento". Trata-se de considerar o ensino não só como transmissão de saberes, mas principalmente como um conjunto de experiências que possa se valer das descobertas já conquistadas para ampliar o referencial do sujeito ou para restituir a ele oportunidades perdidas; problematizar situações concretas de vida; promover atividades que, em sintonia com a esfera sociocultural, garantam sentido ao conteúdo escolar; fomentar desejos e curiosidades; mobilizar o aluno pela via de reflexões; interagir com os outros e trocar conhecimentos; abrir espaço para que ele possa testar hipóteses e ampliar os horizontes e, enfim, ter experiências que possam dialogar com suas concepções, fortalecendo sempre a relação do sujeito com o conhecimento e com os objetos de aprendizagem.

Nessa direção, o estudo exploratório sobre a relação entre os alunos da periferia de São Paulo e o conhecimento da língua escrita permite destacar alguns fatores condicionantes da alfabetização (ou dos mecanismos do não aprender):

a) As crianças, mesmo provenientes de ambientes pouco letrados, são potencialmente capazes de vislumbrar muitas razões para a aprendizagem da leitura e escrita; razões pertinentes e compatíveis com o papel da língua na nossa sociedade. No entanto, nem sempre as razões evocadas configuram-se como um sólido posicionamento pessoal, aparecendo, em geral, como reproduções de vozes sociais.

b) Como reproduções de vozes ou de clichês sociais, muitas concepções sobre a aprendizagem da escrita aparecem de modo vago e difuso (tais como "ter um futuro melhor" e "ser alguém na vida"), o que comprova um grau de consciência ainda nebuloso.

c) As tentativas dos alunos de explicar os objetivos da alfabetização são, na sua maioria, reducionistas, considerando apenas uma categoria no leque de possibilidades do grupo; elas evidenciam posturas restritas, o que certamente fragiliza o desejo da aprender.

d) Mesmo quando os alunos consideram várias categorias, sua visão pode ser fragmentada, já que muitos não chegam a relacionar os diferentes aspectos: as respostas pontuais ou feitas pela mera sucessão de critérios desconectados entre si prevalecem sobre os textos argumentativos.

e) A estabilidade da distribuição de categorias do 1º ao 5º ano sugere que a progressão da vida escolar ou de aprendizagem da língua escrita não necessariamente garante a compreensão mais ampla do seu papel.

f) As razões para a aprendizagem da escrita costumam se concentrar nos critérios estritamente escolares, sugerindo uma submissão do sujeito às cobranças e expectativas institucionais. Nesses casos, a escrita ensinada na escola justifica-se na e pela própria vida escolar.

g) A razão menos evocada para a aprendizagem da língua escrita é a "Categoria dos objetivos internos da língua" (representando a magia da linguagem que se traduz pelas múltiplas possibilidades do ler e escrever e pela consciência das inúmeras práticas que lhe dão sentido). A alfabetização fica, assim, à sombra de objetivos externos e indiretos.

h) A aprendizagem da escrita é, geralmente, entendida (também pelos estudantes) como a competência de escrever corretamente, isto é, de acordo com os princípios da gramática normativa. Dessa forma, o ideal da norma culta, que tanto favorece mecanismos de discriminação, acaba por afastar muitos alunos da concepção da escrita como canal de comunicação e expressão e como um direito de todos.

i) Para grande parte dos alunos, as metas da alfabetização tendem a ser vistas como uma conquista em longo prazo e por isso, não raro, são acompanhadas da expressão "para quando crescer". Isso, obviamente, tem implicações que comprometem o "aprender hoje".

j) Em consequência da concepção que foca os ganhos da alfabetização em um futuro distante, os alunos incorporam um princípio bastante arraigado na cultura escolar e no imaginário popular: a segregação entre o aprender e o usar/usufruir a língua escrita. Por isso, nem sempre eles se sentem autorizados a assumir a posição de autoria.

Esses fatores, com diferentes níveis de intensidade e graus de combinação, permitem-nos compreender a relação negativa de tantas crianças com a escrita. Por isso, não é surpresa colher depoimentos como "Eu não sei escrever", "Português é difícil" e "Eu não gosto de ler". Tampouco é surpreendente constatar altos índices de dificuldade entre os alunos, fracasso escolar e analfabetismo no país.

A esse respeito, o mesmo estudo que, pela compreensão das concepções infantis, explica o triste destino – frequente e quase previsível – das classes populares permite observar perspectivas de superação dadas pela ampliação ou pela mudança das posturas. Perspectivas forjadas em oportunidades de ação, diálogo e reflexão: vivenciar a língua com diferentes propósitos, com diferentes interlocutores e agrupamentos de produção, com diferentes níveis de desafio em diferentes gêneros e suportes; de vivenciar a língua tal como ela se apresenta na nossa sociedade.

15. O ser ou não ser da formação de professores alfabetizadores[34]

No final do século XX, a configuração política, econômica e cultural no Brasil fez emergir novas demandas para a inserção social, a participação no mercado de trabalho e a conquista da cidadania. No contexto do mundo globalizado, tecnológico, competitivo e supostamente democrático, a circulação (e sobrevivência) das pessoas na sociedade requer um indivíduo que não somente saiba ler e escrever, mas que seja capaz de se tornar um efetivo usuário da língua escrita, garantindo as possibilidades de expressão, comunicação, interpretação e posicionamento crítico. Definitivamente, foi-se o tempo no qual bastava assinar o nome ou fazer pequenas anotações. Hoje a alfabetização plena parece essencial na luta contra a marginalização social, constituindo-se como critério significativo dos índices de crescimento econômico e desenvolvimento humano.

Em face dos apelos da sociedade letrada, não é casual o aumento das traduções de obras relacionadas com o tema ou de novas pesquisas sobre o ensino da língua materna. É por isso que, nos últimos 40 anos, os estudos nas áreas de psicologia, sociologia, ciências linguísticas e educação mudaram os referenciais teóricos e as diretrizes que regem as práticas do ensino da língua escrita.

A despeito da relevância dos aportes teóricos, é preciso considerar o tumultuado circuito entre as contribuições acadêmicas e a realidade escolar. Ficam evidentes, de um lado, a assimilação lenta (por vezes, superficial e distorcida) que a escola faz do discurso pedagógico de ponta (Colello, 2012; Frigo, 2020; Frigo e Colello, 2018; Lucas e Colello, 2019; Siqueira, 2018; Siqueira e Colello, 2020; Zaccur, 1999) e, de outro, a insensibilidade dos meios de produção de conhecimento com relação à realidade escolar, aos impasses do ensino e à condição do professor.

34. Texto atualizado com base na versão original publicada em *Revista Aprendizagem*, ano 5, n. 25, 2011.

No contexto desse impasse, justifica-se a necessidade de se problematizar a formação do professor alfabetizador, situando a capacitação docente também em novas bases. Descartando o pressuposto – tantas vezes considerado – de que formar o professor é levar a ele conceitos que supostamente lhe faltam, métodos inovadores ou infalíveis e fórmulas de atividades práticas (a suposição de preencher suas lacunas teóricas e técnicas), é preciso compreender a capacitação docente como uma ação conjunta e partilhada, capaz de romper com a segmentação entre teoria e prática, o distanciamento entre o pensar e o fazer educação. Trata-se de um esforço a ser projetado com base no estudo, na ampliação de referenciais, no diálogo, na reflexão, na troca de saberes, na construção de parcerias ou de mecanismos de apoio docente e na tematização da prática.

Na tentativa de rever concepções obsoletas, desconstruir práticas autoritárias e fundamentar novos modos de intervenção pedagógica, é preciso enfrentar os dilemas das práticas de formação, lidando com um "ser ou não ser" implícito tanto na natureza das propostas como nos seus objetivos, conteúdos, eixos do trabalho formativo, relação com os docentes e metodologias. O Quadro 4 sintetiza o a problemática em pauta (veja a página seguinte).

No que diz respeito à *natureza* das iniciativas de formação continuada, a tradição nos remete às iniciativas pontuais e fragmentadas, algumas vezes motivadas por interesses individuais de professores ou instituições, outras vezes oscilando ao sabor das descontinuidades políticas em função de orçamentos precários e falta de planejamento em longo prazo. Dessa forma, a organização de um evento ou curso de formação se faz pela pressuposição de necessidades docentes e raramente se fixa como iniciativa de interlocução, parceria ou apoio aos professores. Em oposição a esse cenário, é possível propor um projeto de formação permanente, planejado com base nos diagnósticos escolares, nas prioridades docentes e em parceria com as políticas educacionais, especialmente de erradicação do analfabetismo.

Na revisão dos *objetivos* e *conteúdos* que subsidiam a organização dos cursos de capacitação, importa superar o pressuposto de que é preciso "completar a precária formação inicial dos professores", transmitindo-lhes saberes conceituais e técnicos cuja falta compromete a qualidade do ensino. Em uma perspectiva de trabalho mais abrangente, o desafio é promover o amadurecimento da constituição da vida profissional, considerando a complexidade do processo de alfabetização e da função docente à luz dos contextos sociais de baixo letramento. Assim, não se trata apenas de ensinar aos professores a ensinar, tampouco de distribuir fórmulas de trabalho prontas para a aplicação em sala de aula, mas de construir com eles a própria viabilidade do projeto de letramento escolar (Colello, 2007, 2010; Colello e Lucas, 2017). Nesse caso, a fundamentação teórica faz sentido na relação dialética que se pode estabelecer com a prática pedagógica.

QUADRO 4 – INICIATIVAS DE FORMAÇÃO CONTINUADA: SER OU NÃO SER DA FORMAÇÃO DE PROFESSORES ALFABETIZADORES

Natureza	Iniciativas pontuais e fragmentadas ou projeto político de formação continuada?
Objetivo	Preencher lacunas de formação docente ou promover o amadurecimento na constituição da vida profissional?
Conteúdo	Transmitir saberes técnicos ou garantir a fundamentação teórica em uma relação dialética com a prática de ensino?
Eixos do trabalho formativo	Capacitar tecnicamente o professor ou promover uma formação científica, pedagógica e humanizadora?
Relação com os docentes	Ensinar cada professor individualmente ou favorecer, nos grupos de formação de professores, processos dialógicos na busca de alternativas para lidar com os desafios da alfabetização na escola?
Metodologia	Trabalhar com modelos do fazer pedagógico ou com problemas que favoreçam a construção crítica das práticas de ensino?

É dessa ótica que se pode também pensar nos *eixos* de trabalho formativo para a capacitação docente (Colello e Silva, 2008). Com base em "abordagens científicas", é possível favorecer a construção de critérios didáticos apoiados na compreensão das dimensões linguísticas, sociais e psicológicas do ler e escrever. Por sua vez, a "abordagem pedagógica" estimula o intercâmbio de experiências e o debate sobre as diretrizes de ensino, planejamento, metodologias de trabalho e avaliação; mais do que um *savoir-faire*, o que entra em pauta é o fortalecimento de uma cultura pedagógica. Finalmente, o que aqui denominamos "abordagem humanizadora" diz respeito ao compromisso de atender à especificidade do grupo de educadores, investindo na reflexão sobre a constituição docente – os modos de ser professor, os modos de este se relacionar no contexto do trabalho escolar e os vínculos dos professores com a língua escrita. Em conjunto, esses três eixos têm o potencial para resgatar o sentido do ser professor alfabetizador em uma sociedade como a nossa.

Em consonância com essa perspectiva de formação, cumpre estabelecer uma dinâmica dialógica na relação com os docentes (no caso, a relação entre formadores e professores). Em vez de instituir a voz (e a verdade) do especialista, importa promover o intercâmbio entre múltiplas experiências, visando à busca coletiva de alternativas para o ensino da língua escrita. Na prática, isso significa discutir o ensino na língua escrita em um dado contexto, em uma prática escolar com condicionantes, dificuldades, desafios e possibilidades de trabalho.

Na perspectiva *metodológica*, cumpre rechaçar receitas pedagógicas e atividades-modelo para lidar com a efetiva realidade da sala de aula – o perfil de alunos, o contexto sociocultural da comunidade, as condições da escola e a natureza das dificuldades. Trata-se de fortalecer o compromisso com os desafios institucionais, as metas da alfabetização e, sobretudo, o vínculo com os alunos. O maior desafio da formação docente é colocar o professor em uma posição crítica em face do seu trabalho, dos processos de (auto)formação e de constituição do eu profissional.

Considerações finais

É sempre muito difícil colocar um ponto final em um livro como este. Em primeiro lugar, porque, em face da amplitude e complexidade do tema, para cada tópico abordado, outros tantos mereceriam atenção. Em segundo, porque cada um deles, por si só, remete a novos questionamentos e à continuidade de problematizações. Além disso, os esforços para a transposição didática, isto é, para que concepções, princípios e diretrizes cheguem às salas de aula, podendo "dialogar" com a prática pedagógica e a postura docente, constituem-se como um trabalho permanente em cada contexto escolar, para cada equipe institucional e para todos os professores que assumem o compromisso e o desafio de ensinar a ler e escrever. Assim, a obra necessariamente se apresenta como uma abordagem incompleta, como um convite a futuras pesquisas, como uma conversa não terminada. Afinal, assim é e deve ser a educação.

A alfabetização, particularmente, pode ser pensada de muitas maneiras. Em um cenário em que há pressa para reparar os quadros de analfabetismo e de baixo letramento; em que os supostos números de superação das dificuldades dizem mais respeito às campanhas políticas do que ao efetivo atendimento à população; em que propostas objetivas e aligeiradas (como é o caso do método fônico) chegam aos planos de educação com valor de verdade científica, a alfabetização tende a ser vista como uma meta simplificada, válida por si mesma; uma meta a ser atingida pelo mero cumprimento de etapas metodológicas preconcebidas *a priori* e independentemente dos sujeitos.

A esse respeito, sou obrigada a alertar para o risco de mitos muito arraigados na nossa sociedade e a reafirmar que: a educação não se faz unilateralmente, sem a interlocução ativa com o aluno; o ensino não é neutro; a efetiva aprendizagem não é garantida por qualquer via; a alfabetização por si só não necessariamente emancipa o ser humano.

O problema do alfabetismo no país não se resolve pela simples elevação do índice de pessoas que conhecem o sistema alfabético e podem manejá-lo de modo rudimentar. É uma ingenuidade acreditar que codificar e decodificar pelo sistema de escrita assegura a condição de cidadania e de autonomia no universo letrado; é uma ingenuidade achar que estar formalmente alfabetizado garante os instrumentos auxiliares do pensamento e o potencial transformador dados pelo dizer, interagir e autorar.

A alfabetização, mais do que um conteúdo a ser ensinado, é o progressivo e infindável acesso a um universo de conhecimentos cujas relações e interdependências pressupõem (e ao mesmo tempo remetem a) uma profusão de frentes cognitivas, resultando em um significativo impacto pessoal, social e político. Assim, não seria exagero dizer que a alfabetização não se limita a um estoque de saberes e de habilidades (os fonemas e grafemas, as regas e normas, os modos convencionais de grafar ou a fluência do ler), mas configura-se como forma de ser e estar no mundo.

Dessa convicção nasceu a iniciativa deste trabalho como um esforço de apresentar o campo da alfabetização, que, na sua complexidade, nem sempre coincide com a cultura paradoxal e nebulosa do ensino da língua escrita, muitas vezes assimilada pelas escolas de modo reducionista, contraditório e equivocado. Um campo configurado por um mosaico de posturas tão mais fértil quanto mais puder subsidiar rupturas entre teoria e prática, o ensinar e o aprender, o ensinar e o não aprender.

Assim, importa descobrir que, mesmo em seus relativos consensos, a alfabetização é, antes de tudo, um projeto educacional que incide sobre a formação humana e um compromisso político que forja a sociedade do amanhã. Nessa perspectiva, ao investir nas concepções capazes de articular teoria e prática (primeira parte do trabalho), procuramos apreender pilares indiscutíveis: a alfabetização como construção cognitiva, no contexto das práticas sociais que dão sentido à língua, com base no progressivo posicionamento discursivo e interlocutivo do sujeito.

A seguir, o esforço para articular o ensino e a aprendizagem (segunda parte do trabalho) procurou superar a compreensão da prática como uma coleção de sucessivas atividades – uma das tendências mais conservadoras do ensino – para defender a engrenagem da alfabetização com base em princípios, diretrizes, eixos de trabalho e modalidades didáticas capazes de equilibrar o paradoxo entre garantir o respeito às normas da língua e, ao mesmo tempo, dar voz ao sujeito. Na prática, isso requer a construção de uma escola que possa se constituir em um "ambiente alfabetizador" (Lerner, 2002), em uma "comunidade de leitores" (Colomer, 2007), podendo "textualizar a sala de aula" (Jolibert, 2006) para tornar a língua escrita um fio condutor de toda a vida escolar (Kaufman, 2020). Na prática, isso requer um ensino entendido como exploração discursiva da língua e do universo cultural, isto é, um trabalho interativo voltado para a produção e negociação de sentidos e significados.

A obra, como proposta de reflexão sobre o tema, cobrou ainda um breve estudo sobre relações entre o ensinar e o não aprender (terceira parte do livro), já que esse é o ponto nevrálgico dos nossos desafios como professores. A esse respeito, sem desmerecer a multiplicidade de fatores sociais, econômicos, políticos e geográficos envolvidos no cenário de analfabetismo e baixo letramento no país, o viés pedagógico parece privilegiado para se problematizar o tema de modo responsável. Assim, se, por um lado, vale chamar a atenção para o fato de que a compreensão de nossos problemas é o melhor aval para a superação deles, por outro, importa defender a formação dos professores e a valorização da carreira docente como estratégias para a alfabetização plena, que, afinal, é também uma estratégia de luta pela educação e por uma sociedade mais justa.

Sem a certeza de poder encerrar o trabalho, fica, ao menos, a certeza de dar continuidade a essa luta.

Referências

Almeida, G. B. *Representações docentes no ensino médio: leitura, escrita e aprendizagem por competências no currículo do estado de São Paulo.* Tese (doutorado em Educação), Universidade de São Paulo, São Paulo (SP), 2012. Disponível em: <http://www.teses.usp.br/teses/disponiveis/48/48134/tde-23082012-101512/pt-br.php>. Acesso em: 29 dez. 2020.

Arantes, V. A. (org.). *Alfabetização e letramento: pontos e contrapontos.* São Paulo: Summus, 2010.

Araújo. J. C. S. "O que significa revisitar técnicas de ensino à luz da pedagogia histórico-crítica". In: Veiga, I. P. A. (org.). *Novas tramas para as técnicas de ensino e estudo.* Campinas: Papirus, 2013, p. 15-45.

Araújo, U. F.; Sastre, G. (orgs.). *Aprendizagem baseada em problemas no ensino superior.* São Paulo: Summus, 2009.

Bagno, B. *Preconceito linguístico: o que é e como se faz.* São Paulo: Loyola, 2003.

______. "Os objetivos do ensino de língua na escola: uma mudança de foco". In: Coelho, L. M. (org.). *Língua materna nas séries iniciais.* Petrópolis: Vozes, 2009, p. 157-171.

Bakhtin, M. *Marxismo e filosofia da linguagem.* São Paulo: Hucitec, 1988.

______. *Estética da criação verbal.* São Paulo: Martins Fontes, 1992.

Bortolotto, N. *A interlocução na sala de aula.* São Paulo: Martins Fontes, 1998.

Bourdieu, P. *A economia das trocas linguísticas.* São Paulo: Edusp, 1998.

Brait, B. (org.). *Bakhtin: conceitos-chave.* São Paulo: Contexto, 2005.

Britto, L. P. *Contra o consenso: cultura escrita, educação e participação.* Campinas: Mercado das Letras, 2003.

______. "Letramento e alfabetização – Implicações para a educação infantil". In: Faria, A. L. G.; Mello, S. M. (orgs.). *O mundo da escrita no universo da pequena infância.* Campinas: Autores Associado, 2005, p. 5-22.

______. "Alfabetismo e educação escolar". In: Silva, E. T. (org.). *Alfabetização no Brasil – Questões e provocações na atualidade.* Campinas: Autores Associados, 2007, p. 19-34.

Cafardo, R. "MEC quer teste para medir a rapidez na leitura de crianças e mudar livro didático". *O Estado de S. Paulo,* Metrópole, 5 fev. 2020, p. A15). Disponível em: <https://

educacao.uol.com.br/noticias/agencia-estado/2020/02/05/mec-quer-teste-para-medir--rapidez-na-leitura-de-criancas-e-mudar-livro-didatico.htm>. Acesso em: 28 dez. 2020.

Cagliari, L. C. *Alfabetização e linguística*. São Paulo: Scipione, 1989.

Capello, "Para além do espelho d'água – Língua e leitura na escola". In: Coelho, L. M. (org.). *Língua materna nas séries iniciais*. Petrópolis: Vozes, 2009, p. 173-192.

Carraher, D. W. "Educação tradicional e educação moderna". In: Carraher, T. N. (org.). *Aprender pensando*. Petrópolis: Vozes, 1986, p. 11-30.

Carraher, T. *et al. Na vida dez, na escola zero*. São Paulo: Cortez, 1989.

Carvalho, A. M. P. *et al. Ciências no ensino fundamental* – O conhecimento físico. São Paulo: Scipione, 1998.

Castaldo, M. M.; Colello, S. M. G. "Redação no vestibular: perspectivas de reorientação da prática escolar". *Estudos em Avaliação Educacional*, v. 25, n. 57, jan.-abr. 2014. Disponível em: <http://publicacoes.fcc.org.br//index.php/eae/article/view/2825>. Acesso em: 2 dez. 2020.

Charlot, B. "A liberação da escola – Deve-se suprimir a escola?" In: Brandão, Z. (org.). *Democratização do ensino: meta ou mito?* Rio de Janeiro: Francisco Alves, 1985.

______. *Relação com o saber: formação dos professores e globalização*. Porto Alegre: Artmed, 2005.

______. *Da relação com o saber às práticas educativas*. São Paulo: Cortez, 2013.

Coelho, L. (org.). *Língua materna nas séries iniciais*. Petrópolis: Vozes, 2009.

Colello, S. G. "Alfabetização e letramento: repensando o ensino da língua escrita". *Videtur*, v. 29, n. 43-52, 2004a. Disponível em: <http://www.hottopos.com/videtur29/silvia.htm>. Acesso em: 23 dez. 2020.

______. *Alfabetização em questão*. Rio de Janeiro: Paz e Terra, 2004b.

______. "A construção do conhecimento no ensino da língua escrita: da teoria à prática". *Revista Internacional d'Humanitats*, n. 13, 2007, p. 25-30. Disponível em: <http://www.hottopos.com/rih13/silvia.pdf>. Acesso em: 28 dez. 2020.

______. "Alfabetização e letramento: o que será que será?" In: Arantes, V. A. (org.). *Alfabetização e letramento: pontos e contrapontos*. São Paulo: Summus, 2010, p. 75-127.

______. "Vivências de leitura: é possível superar a decodificação?" In: Colello, S. M. G. (org.). *Textos em contextos – Reflexões sobre o ensino da língua escrita*. São Paulo: Summus, 2011, p. 53-74.

______. *A escola que (não) ensina a escrever*. São Paulo: Summus, 2012.

______. "Sentidos da alfabetização nas práticas educativas". In: Mortatti, M. R. L.; Frade, I. C. A. S. *Alfabetização e seus sentidos – O que sabemos, fazemos e queremos?* Marília: Oficina Universitária; São Paulo: Ed. da Unesp, 2014, p. 169-186.

______. *A escola e as condições de produção textual: conteúdos, formas e relações.* Tese (livre-docência), Departamento de Filosofia da Educação e Ciências da Educação, Universidade de São Paulo, São Paulo (SP), 2015. Disponível em: <https://12f7a-472-3151-ab81-d2e6-789a72c3925c.filesusr.com/ugd/2fea7f_d9bbfb99206d4921a-748d453d46b3acf.pdf>. Acesso em: 15 dez. 2020.

______. "Alfabetização ou alfabetização digital?" *International Studies on Law and Education*, n. 23, maio-ago. 2016, p. 5-12. Disponível em: <http://www.hottopos.com/isle23/05-12Silvia.pdf>. Acesso em: 2 dez. 2020.

______. *A escola e a produção textual – Práticas interativas e tecnológicas.* São Paulo: Summus, 2017a.

______. "Compreender bem para ensinar melhor". *Revista Neuroeducação*, n. 9, 2017b, p. 38-41. Disponível em: <https://12f7a472-3151-ab81-d2e6-789a72c3925c.filesusr.com/ugd/2fea7f_676ece43f6d94b7f8347d505a2d3c447.pdf>. Acesso em: 2 abr. 2020.

Colello, S. M. G.; Lucas, M. A. O. F "A reinvenção da escola: os desafios de educar e de ensinar a língua escrita". *International Studies on Law and Education*, n. 27, set.-dez. 2017, p. 5-12. Disponível em: <http://www.hottopos.com/isle27/05-12ColelloLucas.pdf>. Acesso em: 2 abr. 2020.

______. "Lengua escrita en la educación infantil: caminos de aprendizage y enseñanza". *Revista Internacional d'Humanitats*, n. 44, set.-dez. 2018, p. 15-24. Disponível em: <http://www.hottopos.com/rih44/15-24SilviaAngelica.pdf>. Acesso em: 29 dez. 2020.

Colello, S. M. G.; Luiz, D. G. "Um game a serviço da cultura escrita". *Revista Internacional d'Humanitats*, v. 45, jan.-abr. 2019, p. 51-62. Disponível em: <http://www.hottopos.com/rih45/51-62SilviaDalila.pdf>. Acesso em: 23 dez. 2020.

______. "A apropriação da cultura escrita pela criança de educação infantil". *International Studies on Law and Education*, n. 36, set.-dez. 2020, p. 1-12. Disponível em: <http://www.hottopos.com/isle36/SilviaDalila.pdf>. Acesso em: 20 dez. 2020.

Colello, S. G.; Luize, A. "Aventura linguística". *Mente e Cérebro – Coleção memória da pedagogia, n. 5; Emília Ferreiro: a construção do conhecimento.* Rio de Janeiro: Ediouro; São Paulo: Segmento-Dueto, 2005.

Colello, S. M. G.; Silva, M. S. "Alfabetização e formação de educadores". In: Lauand, J. (org.). *Filosofia e educação – Estudos 12.* São Paulo: Factash, 2008, p. 27-46.

Coll, C.; Illera, J. R. L. "Alfabetização, novas alfabetizações e alfabetização digital". In: Coll, C.; Monereo, C. (orgs.). *Psicologia da educação virtual – Aprender e ensinar com as tecnologias da informação e da comunicação.* Porto Alegre: Artmed, 2010, p. 289-310.

Coll, C.; Mauri, T.; Ornubia, J. "Os ambientes virtuais de aprendizagem baseados na análise de casos e na resolução de problemas". In: Coll, C.; Monereo, C. (orgs.). *Psicologia da educação virtual – Aprender e ensinar com as tecnologias da informação e da comunicação.* Porto Alegre: Artmed, 2010a, p. 189-207.

______. "A incorporação das tecnologias da informação e da comunicação na educação: do princípio técnico às práticas de uso". In: Coll, C.; Monereo, C. (orgs.). *Psicologia da educação virtual – Aprender e ensinar com as tecnologias da informação e da comunicação.* Porto Alegre: Artmed, 2010b, p. 66-93.

Coll, C.; Monereo, C. (orgs.). *Psicologia da educação virtual – Aprender e ensinar com as tecnologias da informação e da comunicação.* Porto Alegre: Artmed, 2010.

Colomer, T. *Andar entre livros – A leitura literária na escola.* São Paulo: Global, 2007.

Cook-Gumperz, J. *et al. A construção social da alfabetização.* Porto Alegre: Artmed, 2008.

Curto, L. M. "Alfabetização, pensamento e diversidade". *Pátio – Revista pedagógica*, ano 4, n. 14, ago.-out. 2000, p. 18-20.

Dalben, A. I. L. F. "O ensino por meio de resolução de problemas". In: Veiga, I. P. A. *Novas tramas para as técnicas de ensino e estudo.* Campinas: Papirus, 2013, p. 69-98.

Dangió, M. S.; Martins, L. M. "A concepção histórico-cultural de alfabetização". *Germinal: Marxismo e Educação em Debate*, v. 7, n. 1, jun. 2015, p. 210-220.

Demartini, Z. B. "Infância, pesquisa e relatos orais". In: Faria, A. L.; Demartini, Z. B.; Prado, P. D. (orgs.). *Por uma cultura da infância: metodologia de pesquisa com crianças.* Campinas: Autores Associados, 2001, p. 1-17.

Dias, G. H. M. "Preconceito linguístico e ensino da língua portuguesa". In: Colello, S. M. G. (org.). *Textos em contextos – Reflexões sobre o ensino da língua escrita.* São Paulo: Summus, 2011, p. 29-51.

Estadão Infográficos. "Crianças que leem", 2019. Disponível em <https://www.estadao.com.br/infograficos/educacao,criancas-que-leem,1046679>. Acesso em: 28 dez. 2020.

Faraco, C. A. "Autor e autoria". In: Brait, B. (org.). *Bakhtin: conceitos-chave.* São Paulo: Contexto, 2005, p. 37-60.

______. *Linguagem & diálogo – As ideias do Círculo de Bakhtin.* São Paulo: Parábola, 2009.

Faria, A. L. G.; Mello, S. M. (orgs.). *O mundo da escrita no universo da pequena infância.* Campinas: Autores Associados: 2005.

Ferreiro, E. *Reflexões sobre alfabetização.* São Paulo: Cortez; Campinas: Autores Associados, 1987.

______. *Atualidade de Jean Piaget.* Porto Alegre: Artmed, 2001a.

______. *Cultura escrita e educação.* Porto Alegre: Artmed, 2001b.

______. *Passado e presente dos verbos ler e escrever.* São Paulo: Cortez, 2002.

______. "Alfabetização e cultura escrita". Entrevista concedida a Denise Pellegrini. *Nova Escola*, abr.-maio 2003, p. 27-30.

______. "O momento atual é interessante porque põe a escola atual em crise". Entrevista concedida a Mário Ferrari. *Nova Escola*, abr.-out. 2006. Disponível em <https://novaescola.org.br/conteudo/238/emilia-ferreiro-o-momento-atual-e-interessante-porque-poe-a-escola-em-crise>. Acesso em: 28 dez. 2020.

______. *Com todas as letras*. São Paulo: Cortez, 2007.

______. *O ingresso na escrita nas culturas do escrito – Seleção de textos de pesquisa*. São Paulo: Cortez, 2013.

______. (org.). *Os filhos do analfabetismo – Propostas para a alfabetização na América Latina*. Porto Alegre: Artes Médicas, 1990.

Ferreiro, E.; Teberosky, A. *Los sistemas de escritura en el desarrollo del niño*. México: Siglo Veintiuno, 1984.

______. A. *Psicogênese da língua escrita*. Porto Alegre: Artes Médicas, 1986.

Fiorin, J. L. "Leitura e dialogismo". In: Zilberman, R.; Rösing, T. (orgs.). *Escola e leitura – Velha crise, novas alternativas*. São Paulo: Global/ALB, 2009, p. 41-59.

Flavell, J. H. *Cognitive development*. Nova York: Prentice Hal, 1976.

Frade, I. C. A. S. "Alfabetização na escola de nove anos: desafios e rumos". In: Silva, E. T. (org.). *Alfabetização no Brasil – Questões e provocações da atualidade*. Campinas: Autores Associados, 2007. p. 73-112.

Freire, P. *A importância do ato de ler: em três artigos que se completam*. São Paulo: Cortez; Campinas: Autores Associados, 1983.

Freire, P.; Schor, I. *Medo e ousadia – O cotidiano do professor*. Rio de Janeiro: Paz e Terra, 1986.

Freitas, M. T. "A perspectiva sócio-histórica: uma visão humana da construção do conhecimento". In: Freitas, M. T.; Souza, S. J.; Kramer, S. (orgs.). *Ciências humanas e pesquisa – Leituras de Mikhail Bakhtin*. São Paulo: Cortez, 2003.

Frigo, A. B. G. *Práticas de escrita em contextos de alfabetização: caminhos e descaminhos*. Dissertação (mestrado em Educação), Universidade de São Paulo, São Paulo (SP), 2020.

Frigo, A. G.; Colello, S. M. G. "Sobre a língua e o ensino da língua na escola". *Convenit Internacional*, n. 28, set.-dez. 2018, p. 63-72. Disponível em: <http://www.hottopos.com/convenit28/63-72AndreaSilvia.pdf>. Acesso em: 20 dez. 2020.

Gallart, M. S. "Leitura dialógica: a comunidade como ambiente alfabetizador". In: Teberosky *et al*. *Contextos de alfabetização inicial*. Porto Alegre: Artmed, 2004, p. 41-54.

Geraldi, J. W. *Portos de passagem*. São Paulo: Martins Fontes, 1993.

______. "A diferença identifica, a desigualdade deforma. Percursos bakhtinianos de construção ética e estética". In: FREITAS, M. T.; SOUZA, S. J.; KRAMER, S. (orgs.). *Ciências humanas e pesquisa – Leituras de Mikhail Bakhtin*. São Paulo: Cortez, 2003. p. 39-56.

______. "Labuta da fala, labuta da leitura, labuta da escrita". In: COELHO, L. M. (org.). *Língua materna nas séries iniciais*. Petrópolis: Vozes, 2009, p. 213-228.

______. "Por que práticas de produção de textos, de leituras e de análise linguística?" In: SILVA, L. L. M.; FERREIRA, N. S. A.; MORTATTI, M. R. L. (orgs.). *O texto na sala de aula – Um clássico sobre o ensino de língua portuguesa*. Campinas: Autores Associados, 2014.

GERALDI, J. W.; FICHTNER, B.; BENITES, M. *Transgressões convergentes*. Campinas: Mercado das Letras, 2006.

GERALDI, J. W. (org.). *O texto na sala de aula – Leitura e produção*. Cascavel: Assoeste, 1984.

GIORDAN, A.; DE VECCHI, G. *As origens do saber: das concepções dos aprendentes aos conceitos científicos*. Porto Alegre: Artes Médicas, 1996.

GNERRE, M. *Linguagem, escrita e poder*. São Paulo: Martins Fontes, 1981.

GÓES, M. C. R.; SMOLKA, A. L. B. "A criança e a linguagem escrita: considerações sobre a produção de textos". In: ALENCAR, E. S. *Novas contribuições da psicologia aos processos de ensino e aprendizagem*. São Paulo: Cortez, 1995, p. 51-60.

GÓMEZ, A. I. P. *Educação na era digital – A escola educativa*. Porto Alegre: Penso, 2015.

GOODMAN, Y. M. *Como as crianças constroem a leitura e a escrita – Perspectivas piagetianas*. Porto Alegre: Artes Médicas, 1995.

GOULART, C. M. A. "A produção de textos escritos narrativos, descritivos e argumentativos na alfabetização: evidências do sujeito na/da linguagem". In: ROCHA, G.; VAL, M. G. (orgs.). *Reflexões sobre práticas escolares de produção de texto – O sujeito-autor*. Belo Horizonte: Autêntica, 2003, p. 85-107.

GOULART, C. M. A.; GONTIJO, C. M. M.; FERREIRA, N. S. A. (orgs.). *A alfabetização como processo discursivo – 30 anos de A criança na fase inicial da escrita*. São Paulo: Cortez, 2017.

GOZZI, M. B. *O uso da pontuação na escrita infantil – Uma abordagem longitudinal*. Dissertação (mestrado em Educação), Universidade de São Paulo, São Paulo (SP), 2017. Disponível em: <https://teses.usp.br/teses/disponiveis/48/48134/tde-28062017-142656/pt-br.php>. Acesso em: 28 dez. 2020.

GUIMARÃES, S. R. K.; BOSSE, V. R. P. "O conhecimento metacognitivo de crianças em processo de alfabetização e suas implicações para o aprendizado da linguagem escrita". In: GUIMARÃES, S. R. K; STOLTZ, T. (orgs.). *Tomada de consciência e conhecimento metacognitivo*. Curitiba: Ed. da UFPR, 2008, p. 29-55.

IVANIC, R.; MOSS, W. *Bringing community practices into education*. Londres: mimeo., 1990.

Jolibert, J. *Além dos muros da escola: a escrita como ponte entre alunos e comunidade.* Porto Alegre: Artmed, 2006.

Kato, M. A. *No mundo da escrita – Uma perspectiva psicolinguística.* São Paulo: Ática, 1986.

Kaufman, A. M. *Escola, leitura e produção de texto.* Porto Alegre: Artmed, 1995.

______."A escola de nossos sonhos" Entrevista a Priscila Ramalho. Centro de Referência em Educação Mario Covas, São Paulo, 4 maio 2020. Disponível em: <http://www.cr-mariocovas.sp.gov.br/ens_a.php?t=02>. Acesso em: 29 dez. 2020.

Kleiman, A. B. "O que é letramento?" In: Kleiman, A. B. (org.). *Os significados do letramento: uma nova perspectiva sobre a prática social da escrita.* Campinas: Mercado das Letras, 1995, p. 15-61.

______. *Texto e leitor.* Campinas: Pontes, 1997.

______. "Programas de educação de jovens e adultos e pesquisa acadêmica". In: *Educação e Pesquisa,* v. 27, n. 2, jul.-dez., 2001, p. 267-281.

Kramer, S. "Leitura e escrita como experiência". In: Zaccur, E. (org.). *A magia da linguagem.* Rio de Janeiro: DP&A/Sepe, 1999, p. 101-121.

______. "A criança de 0 a 6 anos nas políticas educacionais no Brasil: educação infantil e/é fundamental". *Educação & Sociedade,* v. 27, n. 296, out. 2006, p. 797-818.

Lahire, B. *Sucesso escolar nos meios populares – As razões do improvável.* São Paulo: Ática, 1995.

Lalueza, J. L.; Crespo, I.; Camps, S. "As tecnologias da informação e da comunicação e os processos de desenvolvimento e comunicação". In: Coll, C.; Monereo, C. (orgs.). *Psicologia da educação virtual – Aprender e ensinar com as tecnologias da comunicação e informação.* Porto Alegre: Artmed, 2010, p. 47-65.

Leal, L. F. "A formação do produtor de texto escrito na escola: uma análise das relações entre os processos interlocutivos e os processos de ensino". In: Rocha, G.; Val, M. G. (orgs.). *Reflexões sobre práticas escolares de produção de texto – O sujeito-autor.* Belo Horizonte: Autêntica, 2003, p. 53-67.

Leite, S. A. (org.). *Alfabetização e letramento – Contribuições para as práticas pedagógicas.* Campinas: Komedi, 2001.

Leitinho, M. C.; Carneiro, C. C. B. S. "Aprendizagem baseada em problemas: uma abordagem pedagógica e curricular". In: Veiga, I. P. A. *Novas tramas para as técnicas de ensino e estudo.* Campinas: Papirus, 2013, p. 99-113.

Leontiev, A. N. *Actividad, consciencia y personalidad.* Buenos Aires: Ciencia del Hombre, 1978.

Lerner, D. *Ler e escrever na escola – O real, o possível e o necessário.* Porto Alegre: Artmed, 2002.

Lucas, M. A. O. F.; Colello, S. M. G. "Como os professores compreendem o ensino da língua na educação infantil". *International Studies on Law and Education*, v. 31-32, jan.-ago. 2019, p. 93-106. Disponível em: <https://12f7a472-3151-ab81-d2e6-789a72c3925c.filesusr.com/ugd/2fea7f_eaebb27a5f594dbab8b9bd95c4daa458.pdf>. Acesso em: 27 mar. 2020.

Luiz, D. G. *Um game a serviço da cultura escrita: a experiência na educação infantil*. Dissertação (mestrado em Educação), Universidade de São Paulo, São Paulo (SP), 2020.

Luiz, D. G.; Colello, S. M. G. "A concepção discursiva de linguagem na prática pedagógica". Convenit Internacional, n. 33, maio-ago. 2020, p. 65-74. Disponível em: <https://12f7a472-3151-ab81-d2e6-789a72c3925c.filesusr.com/ugd/2fea7f_c3239507b5b846b59a0bfba9687737be.pdf>. Acesso em: 2 abr. 2020.

Luize, A. "O uso do computador e parcerias entre crianças na alfabetização inicial". In: Colello, S. M. G. (org.). *Textos em contextos – Reflexões sobre o ensino da língua escrita*. São Paulo: Summus, 2011 p. 119-142.

Luria, A. R. "O desenvolvimento da escrita na criança". In: Vigotskii, L. S.; Luria, A. R.; Leontiev, A. N. *Linguagem, desenvolvimento e aprendizagem*. São Paulo: Edusp, 1988, p. 143-189.

______. *Desenvolvimento cognitivo da criança*. São Paulo: Ícone, 1990.

Macedo, M. S. *Interações nas práticas de letramento – O uso do livro didático e da metodologia de projetos*. São Paulo: Martins Fontes, 2005.

Marcuschi, L. A. "Gêneros textuais: definição e funcionalidade". In: Dionísio, A. P.; Machado, A. R.; Bezerra, N. A. *Gêneros textuais & ensino*. Rio de Janeiro: Lucerna, 2002.

Mariani, B. S. C. "Leitura e condição do leitor". In: Yunes, E. (org.). *Pensar a leitura: complexidade*. Rio de Janeiro: Ed. da PUC; São Paulo: Loyola, 2002, p. 107-109.

Matêncio, M. L. M. *Leitura, produção de textos e a escola*. Campinas: Autores Associados/Mercado das Letras, 1994.

Matos, E. L. M.; França, C. M. "A perda de vínculos familiares, escolares e suas consequências para o desenvolvimento educacional da criança". *Contrapontos*, v. 8, n. 3, set.-dez. 2008, p. 395-404. Disponível em: <http://siaiap32.univali.br/seer/index.php/rc/article/viewFile/961/818>. Acesso em: 29 dez. 2020.

Mennin, S. "Position paper on problem-based learning". *Education for Health*, v. 16, n. 1, 2003, p. 98-113. Disponível em: <https://www.researchgate.net/publication/8904019_Position_Paper_on_Problem-Based_Learning>. Acesso em: 29 dez. 2020.

Micotti, M. C. O. "O ensino e o aprendizado da escrita: novos olhares". In: *Educação: teoria e prática*, v. 16, jan.-jul. 2007, p. 29-46. Disponível em: <https://repositorio.unesp.br/bitstream/handle/11449/106949/ISSN1981-8106-2007-16-28-29-46.pdf?sequence=1>. Acesso em: 2 dez. 2020.

______. *Alfabetização – Propostas e práticas pedagógicas.* São Paulo: Contexto, 2012.

Miniac, C.; Cros, F.; Ruiz, J. *Les collégiens et l'ecriture.* Paris: ESF/INRP, 1993.

Moraes, M. B. "O texto como objeto de estudo – Escrevendo na escola". In: Coelho, L. M. (org.). *Língua materna nas séries iniciais.* Petrópolis: Vozes, 2009, p. 11-42.

Mortatti, M. R. *Educação e letramento.* São Paulo: Ed. da Unesp, 2004.

Mowat, J. M. *Marie Clay's reading recovery: a critical review.* Dissertação (mestrado em Educação), Universidade de Manitoba, Winnipeg, Canadá, mar. 1999. Disponível em: <www.collectionscanada.gc.ca/obj/s4/f2/dsk1/tape8/PQDD_0006/MQ41749.pdf>. Acesso em: 29 dez. 2020.

Nogueira, A. L. H. "Notas sobre as implicações pedagógicas da concepção de alfabetização como processo discursivo". In: Goulart, M. A. C.; Gontijo, C. M. M.; Ferreira, N. S. A. (orgs.). *A alfabetização como processo discursivo.* São Paulo: Cortez, 2017, p. 65-84.

Oliveira, M. K. *Vygotsky – Aprendizado e desenvolvimento um processo sócio-histórico.* São Paulo: Scipione, 1995.

______. "Sobre as diferenças individuais e diferenças culturais: o lugar da abordagem histórico-cultural". In: Aquino, J. G. (org.). *Erro e fracasso na escola – Alternativas teóricas e práticas.* São Paulo: Summus, 1997, p. 45-61.

Palfray, J.; Gasser, U. *Nascidos na era digital – Entendendo a primeira geração de nativos digitais.* Porto Alegre: Artmed, 2011.

Perez, M. C. A. "Infância e escola: desafios no ingresso da criança no ensino fundamental". *Revista Ibero-Americana de Estudos em Educação,* v. 6, n. 3, 2011. p. 36-45.

Piaget, J. *Para onde vai a educação?* Rio de Janeiro: José Olímpio, 1971.

______. *Seis estudos de psicologia.* Rio de Janeiro: Forense Universitária, 1989.

______. "Prefácio". In: Inhelder, B. *et al. Aprendizagem e estruturas do conhecimento.* São Paulo: Saraiva, 1996.

Piaget, J.; Garcia, R. *Psicogênese e história das ciências.* Petrópolis: Vozes, 1982.

Pinto, H. D. "As fontes do erro". In: Aquino, J. G. (org.). *Erro e fracasso na escola – Alternativas teóricas e práticas.* São Paulo: Summus, 1997, p. 63-72.

Possenti, S. "Sobre o ensino de português na escola". In: Geraldi, J. W. (org.). *O texto na sala de aula – Leitura e produção.* Cascavel: Assoeste, 1984, p. 32- 38.

Purcell-Gates, V. "A alfabetização familiar: coordenação entre as aprendizagens da escola e as de casa". In: Teberosky, A. *et al. Contextos de alfabetização inicial.* Porto Alegre: Artmed, 2004, p. 29-40.

Ribeiro, V. M. (org.). *Letramento no Brasil.* São Paulo: Global, 2003.

Rocha, G.; Val, M. G. (orgs.). *Reflexões sobre práticas escolares de produção de texto – O sujeito-autor.* Belo Horizonte: Autêntica, 2003, p. 85-107.

Rojo, R. *Letramento e a capacidade de leitura para a cidadania.* São Paulo: Lael/Ed. da PUC, 2001.

______. *Letramentos múltiplos – Escola e inclusão social.* São Paulo: Parábola, 2009.

Schmidt, H. G. "As bases cognitivas da aprendizagem baseada em problemas". In: Mamede, S.; Penaforte, J. (orgs.). *Aprendizagem baseada em problemas: anatomia de uma nova abordagem educacional.* São Paulo: Hucitec; Fortaleza: Escola de Saúde Pública do Ceará, 2001, p. 80-108.

Scribner, S.; Cole, M. *The psychology of literacy.* Cambridge: Harvard University Press, 1981.

Semeghini-Siqueira, I. "Recursos educacionais apropriados para recuperação lúdica do processo de letramento emergente". *Revista Brasileira de Estudos Pedagógicos*, v. 92, n, 230, jan.-abr. 2011, p. 148-164.

Silva, L. L. M.; Ferreira, N. S. A.; Mortatti, M. R. L. (orgs.). *O texto na sala de aula – Um clássico sobre o ensino de língua portuguesa.* Campinas: Autores Associados, 2014.

Silva, N.; Colello, S. M. G. "Letramento: dos processos de exclusão social aos vícios da prática escolar". *Videtur*, n. 21, 2003. Disponível em: <http://www.hottopos.com/videtur21/nilce.htm>. Acesso em: 28 dez. 2020.

Siqueira, R. F. *Práticas pedagógicas: como se ensina a ler e escrever no ciclo de alfabetização?* Dissertação (mestrado em Educação), Universidade de São Paulo, São Paulo (SP), 2018.

Siqueira, R. R. F.; Colello, S. M. G. "Práticas pedagógicas: como se ensina a ler e escrever no ciclo de alfabetização". *Revista Internacional d'Humanitats,* n. 50, set.-dez. 2020, p. 111-126. Disponível em: <http://www.hottopos.com/rih50/111-126RenataSilvia.pdf>. Acesso em: 28 dez. 2020.

Smolka, A. L. *A criança na fase inicial da escrita – A alfabetização como processo discursivo.* São Paulo: Cortez; Campinas: Ed. da Unicamp, 2008.

______. "Da alfabetização como processo discursivo: os espaços de elaboração nas relações de ensino". In: Goulart, M. C.; Gontijo, C. M.; Ferreira, N. S (orgs.). *A alfabetização como processo discursivo.* São Paulo: Cortez, 2017, p. 23-45.

Smolka, A. L. B; Góes, M. C. R. (orgs.). *A linguagem e o outro no espaço escolar – Vygotsky e a construção do conhecimento.* Campinas: Papirus, 1995.

Soares, M. *Linguagem e escola.* São Paulo: Ática, 1991.

______. *Letramento – Um tema em três gêneros.* Belo Horizonte: Autêntica, 1998.

______. "Aprender a escrever, ensinar a escrever". In: Zaccur, E. (org.). A *magia da linguagem.* Rio de Janeiro: DP&A/Sepe, 1999.

______. "Letramento e escolarização". In: Ribeiro, V. M. (org.). *Letramento no Brasil.* São Paulo: Global, 2003, p. 89-113.

______. *Alfaletrar – Toda criança pode aprender a ler e escrever.* São Paulo: Contexto, 2020.

Street, B. *Literacy in theory and practice.* Cambridge: Cambridge University Press, 1984.

Teberosky, A. "Alfabetização e tecnologia da informação e da comunicação (TIC)". In: Teberosky, A; Gallart, M. S. (orgs.). *Contextos de alfabetização inicial.* Porto Alegre: Artmed, 2004, p. 153-164.

Teberosky, A.; Colomer, T. *Aprender e ler e escrever – Uma proposta construtivista.* Porto Alegre: Artmed, 2003.

Teixeira, T. C. F. "A perspectiva infantil sobre a escrita na escola". In: Colello, S. M. G. (org.). *Textos em contextos – Reflexões sobre o ensino da língua escrita.* São Paulo: Summus, 2011, p. 77-100.

Tfouni, L. V. *Letramento e alfabetização.* São Paulo: Cortez, 1995.

Vidal, E. G. *Projetos didáticos em salas de alfabetização.* Curitiba: Appris, 2014.

______. *Projetos didáticos em salas de alfabetização.* Dissertação (mestrado em Educação), Universidade de São Paulo, São Paulo (SP), 2015. Disponível em: <https://www.teses.usp.br/teses/disponiveis/48/48134/tde-21122016-112832/pt-br.php>. Acesso em: 28 dez. 2020.

______. *A aprendizagem da ortografia sob o viés das práticas interativas.* Tese (doutorado em Educação), Universidade de São Paulo, São Paulo (SP), 2021.

Vidal, E. G.; Colello, S, M. G. "A construção do conhecimento ortográfico no contexto das interações adulto-criança". *Plurais – Revista Multidisciplinar.* Salvador: Uneb, 2020, p. 144-165. Disponível em http://https://revistas.uneb.br/index.php/plurais/issue/view/529/501. Acesso em 28 dez. 2020.

Vigotskii, L.; Luria, A. R.; Leontiev, A. N. *Linguagem, desenvolvimento e aprendizagem.* São Paulo: Edusp, 1988.

Vygotski, L. S. *Obras escogidas III.* Madri: Centro de Publicaciones del M.E.C./Visor, 2000.

Vygotsky, L. S. *Pensamento e linguagem.* São Paulo: Martins Fontes, 1987.

______. *A formação social da mente.* São Paulo: Martins Fontes, 1988.

Weisz, T. "Prefácio". In: Ferreiro, E. *Reflexões sobre alfabetização.* São Paulo: Cortez; Campinas: Autores Associados, 1997, p. 5-6.

Weisz, T.; Sanchez, A. *O diálogo entre o ensino e a aprendizagem.* São Paulo: Ática, 2002.

Yunes, E. "Função do leitor: a construção da singularidade". In: Yunes, E. (org.). *Pensar a leitura: complexidade.* Rio de Janeiro/São Paulo: PUC Rio/Loyola, 2002, p. 114-119.

Zabala, A. *A prática educativa – Como ensinar.* Porto Alegre: Artmed, 2008.

Zaccur, E. (org.). *A magia da linguagem.* Rio de Janeiro: DP&A/Sepe, 1999.

Zilberman, R. "A escola e a leitura da literatura". In: Zilberman, R; Rösing, T. (orgs.). *Escola e leitura – Velha crise, novas alternativas.* São Paulo: Global/ALB, 2009, p. 17-39.

Zilberman, R.; Rösing, T. (orgs.). *Escola e leitura – Velha crise, novas alternativas.* São Paulo: Global/ALB, 2009.

Apêndice – Materiais complementares[35]

Introdução – Para um tema complexo, uma abordagem multifacetada

"Marcos históricos do ensino da escrita"
Aula 6 da disciplina Alfabetização e Letramento II
Curso de Pedagogia – Univesp, 2019
(videoaula também indicada para o Capítulo 12)

"Entrevista com a professora Elaine Vidal:
Os métodos de alfabetização"
Aula 2 da disciplina Alfabetização e Letramento
Curso de Pedagogia – Univesp, 2019

"Entrevista com a professora
doutora Lisete Arelaro – Paulo Freire:
alfabetização na perspectiva da educação libertadora"
Aula 4 da disciplina Alfabetização e Letramento
Curso de Pedagogia – Univesp, 2019

1. Por que a aquisição da escrita é transformadora?

"O que se entende por alfabetização?
Falsos dilemas e concepções – Silvia Colello"
Critique em um instante – Podcast do Centro
de Formação da Vila – 2019
(programa também indicado para a Introdução
e para os Capítulos 5, 6, 8 e 12)

"A concepção de língua e implicações para a produção textual"
Aula 1 da disciplina Produção de Texto e Comunicação
Cursos de Engenharia e Licenciatura – Univesp, 2015
(videoaula também indicada para os Capítulos 4, 5, 11 e 12)

35. Outros materiais – textos, vídeos, videoaulas, pesquisas, entrevistas, capítulos de livros e indicação de livros – poderão ser encontrados em www.silviacolello.com.br.

2. A contribuição de Vigotski

"A contribuição de Vygotsky: linguagem, aprendizagem e alfabetização"
Aula 5 da disciplina Alfabetização e Letramento
Curso de Pedagogia – Univesp, 2019
(videoaula também indicada para o Capítulo 9)

"Vigotski: a pré-história da alfabetização"
Aula 6 da disciplina Alfabetização e Letramento
Curso de Pedagogia – Univesp, 2019
(videoaula também indicada para o Capítulo 9)

3. A escrita como trabalho

"O desafio de reinventar a escola"
Aula 6 da disciplina Psicologia da Educação
Curso de Licenciatura – Univesp, 2014
(videoaula também indicada para o Capítulo 15)

"Tecnologia e educação"
Aula 7 da disciplina Psicologia da Educação
Curso de Licenciatura – Univesp, 2014
(videoaula também indicada para o Capítulo 15)

4. A contribuição de Bakhtin

"A contribuição de Bakhtin para o ensino da língua escrita"
Aula 7 da disciplina Alfabetização e Letramento
Curso de Pedagogia – Univesp, 2019
(videoauala também indicada para o Capítulo 5)

5. As concepções de leitura e suas implicações pedagógicas

"Ensinar a ler ou formar o leitor"
Palestra proferida no Conaler – 2º Congresso de Leitura Online, 2017
(palestra também indicada para o Capítulo 12)

"A leitura para além da decodificação"
Aula 3 da disciplina Produção de Texto e Comunicação
Cursos de Engenharia e Licenciatura – Univesp, 2014

"Competências de leitura"
Aula 4 da disciplina Produção de Texto e Comunicação
Cursos de Engenharia e Licenciatura – Univesp, 2014

Colello, S. M. G "A leitura para além da decodificação"
Trabalho apresentado no 17º Congresso de Leitura (Cole), 2009

"Os jovens e a leitura"
Programa de formação de professores da FTD, 2013
Entrevista à FTD com a professora da USP
Silvia M. Gasparian Colello

"Leitura de literatura"
Programa de formação de professores da FTD, 2013
Entrevista à FTD com a professora da USP
Silvia M. Gasparian Colello
(programa também indicado para o Capítulo 12)

Colello, S. M. G "Leitura na escola: competências e implicações pedagógicas"
Trabalho apresentado no XVII Congresso e Feira da Educação
Saber 2013 – Aprender e ensinar com felicidade:
o saber em busca do bem-estar
(texto também indicado para os Capítulos 12 e 13)

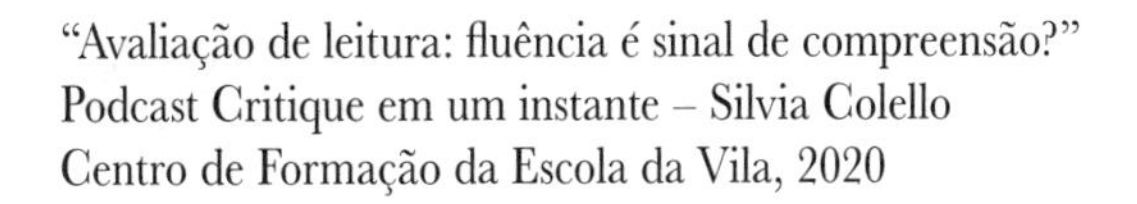

"Avaliação de leitura: fluência é sinal de compreensão?"
Podcast Critique em um instante – Silvia Colello
Centro de Formação da Escola da Vila, 2020

"A contribuição de Bakhtin para o ensino da língua escrita"
Aula 7 da disciplina Alfabetização e Letramento
Curso de Pedagogia – Univesp, 2019
(videoauala também indicada para o Capítulo 5)

Teixeira, L. "Como se ensina e se aprende a linguagem na educação infantil?"
(Entrevista com Silvia Colello). *Nova Escola*, outubro, 2018
(Entrevista também indicada para os Capítulos 4, 8, 10 e 12)

6. Alfabetização, letramento e as implicações do alfabetizar letrando

"O desafio do analfabetismo no Brasil – Silvia Colello"
Notícias Univesp, 2012
(Programa também indicado para o Capítulo 13)

"Panorama Alfabetização – Entrevista"
Jornalismo TV Cultura, 2017
(programa também indicado para o Capítulo 13)

"Educação no Brasil (1/3): professora fala sobre a ideia do livro *A escola que (não) ensina a escrever*"
(programa também indicado para os Capítulos 11 e 13)

"Letramento e analfabetismo funcional"
Aula 2 da disciplina Leitura e Produção de Texto
Cursos de Engenharia e Licenciatura – Univesp, 2014

"A origem do conceito 'letramento'"
Oxford University Press – Entrevista com a professora Silvia Colello, 2015, Parte 1

"A revisão dos problemas de aprendizagem e do quadro de analfabetismo no Brasil"
Oxford University Press – Entrevista com a professora Silvia Colello, 2015, Parte 2
(programa também indicado para o Capítulo 13)

"Debate sobre o letramento e riscos para a prática pedagógica"
Oxford University Press – Entrevista com a professora Silvia Colello, 2015, Parte 3

"Implicações para o ensino da língua escrita"
Oxford University Press – Entrevista com a professora Silvia Colello, 2015, Parte 4
(programa também indicado para o Capítulo 12)

"Letramento e alfabetização"
Oxford University Press – Entrevista com a professora Silvia Colello, 2015, Parte 5

"Por que alfabetizar letrando?"
Aula 8 da disciplina Alfabetização e Letramento
Curso de Pedagogia – Univesp, 2019

7. As contribuições de Piaget e de Emília Ferreiro e o desafio de ajustar o ensino à aprendizagem

"Piaget: um referencial a ser considerado"
Aula 1 da disciplina Alfabetização e Letramento II
Curso de Pedagogia – Univesp, 2019
(videoaula também indicada para os Capítulos 9 e 12)

"Emília Ferreiro: um novo olhar sobre alfabetização"
Aula 2 da disciplina Alfabetização e Letramento II
Curso de Pedagogia – Univesp, 2019
(videoaula também indicada para os Capítulos 9, 10 e 12)

"Psicogênese da língua escrita: como se aprende a escrever"
Aula 3 da disciplina Alfabetização e Letramento II
Curso de Pedagogia – Univesp, 2019
(videoaula também indicada para o Capítulo 9)

"Sondagem diagnóstica e frentes cognitivas na construção da escrita"
Aula 4 da disciplina Alfabetização e Letramento II
Curso de Pedagogia – Univesp, 2019
(videoaula também indicada para o Capítulo 9)

"Psicogênese da língua escrita: como se aprende a ler"
Aula 5 da disciplina Alfabetização e Letramento II
Curso de Pedagogia – Univesp, 2019
(videoaula também indicada para o capítulo 9)

8. Dimensões do ler e escrever na sociedade contemporânea e na revisão dos paradigmas escolares

"Alfabetização: não existe um melhor método de alfabetização, existe uma criança que aprende, avalia professora da USP"
Entrevista: 5 perguntas sobre alfabetização
BM Comunicação. Instituto Claro, 2019
(programa também indicado para os Capítulos 12 e 13)

"Qual é o maior desafio da alfabetização em 2013?"
TV UOL – 2013
(entrevista também indicada para os Capítulos 12 e 15)

Colello, S. M. G. "Alfabetização em tempos de pandemia". Convenit Internacional, n. 35, jan.-abr. 2021, p. 1-22.
(texto também indicado para o Capítulo 12)

9. A construção do conhecimento e da língua escrita

"Diversidade cultural, desenvolvimento e aprendizagem"
Aula 6 da disciplina Psicologia do Desenvolvimento, Univesp, 2014

"Processo de aprendizagem e implicação para a prática docente"
E-aulas USP: videoaula ministrada nos cursos de Especialização Ética, Valores e Saúde (Univesp, 2011) e Ética, Valores e Cidadania (Univesp, 2012)

10. Quando se inicia o processo de alfabetização?

"Educação Brasileira 54: Alfabetização – Silvia Colello e Elson Longo" TV Univesp – 2011
(entrevista também indicada para os Capítulos 6, 8, 9, 12, 14 e 15)

"Alfabetização na educação infantil e no ensino fundamental: o quê, como e por quê?"
I Encontro de Transição Campos do Jordão, 2018

"Programa VIM II", projeto da Fundação Lucia e Pelerson Penido – Flupp (apoio aos municípios do Vale do Paraíba)
(palestra também indicada para os Capítulos 9 e 12)

11. A aprendizagem da língua escrita e a constituição do sujeito interlocutivo

"Existe um jeito certo de alfabetizar?"
MyNews Entrevista, 2019
(entrevista também indicada para os Capítulos 7, 9, 12, 13 e 14)

12. Alfabetização: dos princípios às práticas pedagógicas

"Modelos de ensino: das concepções docentes às práticas pedagógicas"
E-aulas USP: aula ministrada nos cursos de especialização Ética, Valores e Saúde (Univesp, 2011) e Ética, Valores e Cidadania (Univesp, 2012)

"O ensino da língua no contexto das diferentes posturas educativas"
Aula 3 da disciplina Alfabetização e Letramento
Curso de Pedagogia – Univesp
(videoaula também indicada para o Capítulo 4)

"Alfabetização"
Entrevista à FTD com a professora da USP
Silvia M. Gasparian Colello, 2014

"Como se ensina a ler e escrever: princípios do ensino e modalidades didáticas"
Aula 7 da disciplina Alfabetização e Letramento II
Curso de Pedagogia – Univesp, 2019

"Projetos didáticos em sala de alfabetização: entrevista com a professora Elaine Gomes Vidal"
Aula 8 da disciplina Alfabetização e Letramento II
Curso de Pedagogia – Univesp, 2019

"Práticas de ensino da língua escrita: entrevista com a professora Claudia Aratangy"
Aula 9 da disciplina Alfabetização e Letramento II
Curso de Pedagogia – Univesp, 2019

13. Analfabetismo e baixo letramento no Brasil. Por quê?

"Existem muitos analfabetos funcionais no Brasil?
Programa De Olho na Educação – TV Cultura,
Fundação Padre Anchieta, 2018
(programa também indicado para o Capítulo 6)

"O analfabetismo funcional no Brasil"
Jornalismo – Panorama – TV Cultura,
Fundação Padre Anchieta, 2018
(programa também indicado para o Capítulo 6)

"A situação do analfabetismo funcional no Brasil"
Jornal da Cultura, 2019

"A língua escrita na escola"
Aula 1 da disciplina Alfabetização e Letramento
Curso de Pedagogia – Univesp, 2019

"Educação no Brasil (2/3): quais os vícios que levam a escola não ensinar aos alunos?"
Jovem Pan News on-line, 2012
(programa também indicado para o Capítulo 8)

14. Por que as crianças, do seu ponto de vista, aprendem a ler e escrever?

"É possível aprender a ler e escrever?"
Aula 10 da disciplina Alfabetização e Letramento II
Curso de Pedagogia – Univesp, 2019
(videoaula também indicado para os Capítulos 11, 12, 13 e 15)

"A criança que não aprende"
Aula da disciplina Profissão Docente
Curso de especialização Ética, Valores e Saúde na Escola – Univesp, 2016
E-aulas: Portal de Videoaulas USP
(programa também indicado para os capítulos 12, 13)

"Quem é o sujeito em recuperação de aprendizagem"
II Seminário de Recuperação de Aprendizagens – 2019
Secretaria Municipal de Educação de São Paulo
(palestra também indicado para o Capítulo 13)

"Recepção de Estudantes em Recuperação de Aprendizagem"
II Seminário de Recuperação de Aprendizagens – Projeto de apoio pedagógico aos Estudantes – Conversas planejadas – 2019
Secretaria Municipal de Educação de São Paulo
(programa também indicado para o Capítulo 13)

"Arte e Cultura: Educação Brasileira 124 – O que pensam e querem as crianças e os adolescentes: contraste entre desejos e visões de alunos do ensino fundamental e do ensino médio – Ana Helena Meirelles Reis e Silvia Gasparian Colello"
TV Cultura/Fundação Padre Anchieta
(programa também indicado para o Capítulo 13)

15. O ser ou não ser da formação de professores alfabetizadores

Colello, S. M. G "Reforma curricular brasileira: para onde vai a formação docente". *International Studies on Law and Education*, n. 1, 2001.

"Papel do professor: instruir ou educar?"
E-aulas USP: aula da disciplina Profissão Docente
Cursos de especialização Ética, Valores e Saúde (Univesp, 2011) e Ética, Valores e Cidadania (Univesp, 2012)

"A ação educativa ao longo da trajetória escolar"
E-aulas USP: aula ministrada nos cursos de especialização Ética, valores e saúde (Univesp, 2011) e Ética, valores e cidadania (videoaula indicada também para o Capítulo 1)

"A complexidade da constituição docente"
E-aulas USP: aula ministrada da disciplina Profissão Docente
Cursos de especialização Ética, Valores e Saúde (Univesp, 2011) e Ética, Valores e Cidadania (Univesp, 2012)

"Educação no Brasil 3/3: Saiba quais medidas podem ajudar a melhorar o ensino no país"
Jovem Pan News on-line – 2012
(programa também indicado para o Capítulo 13)

Considerações finais

"A escola que (não) ensina a escrever"
Unicentro TV, 2012

leia também

A ESCOLA E A PRODUÇÃO TEXTUAL
PRÁTICAS INTERATIVAS E TECNOLÓGICAS
Silvia M. Gasparian Colello

Na busca de um projeto educativo compatível com as demandas de nosso tempo e o perfil de nossos alunos, Silvia Colello discute aqui como as condições de trabalho na escola podem interferir na produção textual, favorecendo a aprendizagem da língua. Para tanto, lança mão da escrita como resolução de problemas em práticas tecnológicas e interativas.

978-85-323-1066-8

TEXTOS EM CONTEXTOS
REFLEXÕES SOBRE O ENSINO DA LÍNGUA ESCRITA
Silvia M. Gasparian Colello (org.)

Esta obra usa o referencial socioconstrutivista para relacionar teoria e prática em diferentes abordagens: as concepções de ensino e de escrita, as trajetórias escolares na alfabetização de crianças e adultos, os processos cognitivos na aprendizagem da escrita, a produção textual na infância e adolescência e a formação de professores alfabetizadores.

978-85-323-0711-8

A ESCOLA QUE (NÃO) ENSINA A ESCREVER
Silvia M. Gasparian Colello

A fim de repensar as concepções acerca da língua, do ensino, da aprendizagem e das práticas pedagógicas, este livro levanta questionamentos sobre a alfabetização como é praticada hoje nas escolas. Depois de analisar diversas falhas didáticas e tendências pedagógicas viciadas, a autora oferece alternativas para a construção de uma escola que de fato ensine a escrever.

978-85-323-0246-5

ALFABETIZAÇÃO E LETRAMENTO: PONTOS E CONTRAPONTOS
Valéria Amorim Arantes (org.), Silvia M. Gasparian Colello, Sérgio Antônio da Silva Leite

Neste livro, especialistas da Unicamp e da USP ampliam a compreensão do ensino da língua escrita. É possível alfabetizar sem retornar à cultura cartilhesca? Qual é o papel da afetividade na alfabetização? Como sistematizar o trabalho pedagógico em sala de aula? Que paradigmas devem ser revistos no caso da aprendizagem escrita? Obra fundamental para educadores.

978-85-323-0657-9

Grupo Summus
www.gruposummus.com.br
www.gruposummus.com.br
Acesse, conheça o nosso catálogo e cadastre-se para receber informações sobre os lançamentos.

www.gruposummus.com.br